正史里的广西

滕兰花——著

正史里的广西

隋唐卷

广西人民出版社

图书在版编目（CIP）数据

正史里的广西．隋唐卷 / 滕兰花著．-- 南宁：广西人民出版社，2025. 4. -- ISBN 978-7-219-11901-3

Ⅰ. K296. 7

中国国家版本馆 CIP 数据核字第 2024DR4495 号

ZHENGSHI LI DE GUANGXI · SUI-TANG JUAN

正史里的广西 · 隋唐卷

滕兰花　著

总 策 划　赵彦红　萨宣敏　　责任校对　韦振泽

执行策划　李亚伟　　封面设计　王程媛　牛广华

责任编辑　廖　献　　版式设计　李彦媛

出版发行　广西人民出版社

社　　址　广西南宁市桂春路 6 号

邮　　编　530021

印　　刷　广西民族印刷包装集团有限公司

开　　本　889mm × 1240mm　1 / 32

印　　张　6.75

字　　数　140 千字

版　　次　2025 年 4 月　第 1 版

印　　次　2025 年 4 月　第 1 次印刷

书　　号　ISBN 978-7-219-11901-3

定　　价　33. 00 元

《正史里的广西》编委会

总序

为深入学习贯彻习近平文化思想，认真落实全国宣传思想文化工作会议精神，贯彻落实习近平总书记在文化传承发展座谈会上的重要讲话精神以及习近平总书记关于广西工作论述的重要要求，在广西壮族自治区党委宣传部组织策划下，广西人民出版社推出了五卷本《正史里的广西》。

盛世修史是中华民族流传几千年的传统，在这一传统中，我们的文化得以传承有序，我们的文明得以连绵不绝，我们的民族精神得以生生不息。以“二十四史”为核心的正史是展现中华民族起源和发展的核心典籍，在中华文明史上有着极其重要的地位。

所谓正史，指的是自西汉司马迁撰《史记》到清朝张廷玉等撰《明史》，首尾相连，记述历代王朝兴衰的二十四部纪传体史书。在汗牛充栋的中国古代史书中，正史具有核心地位。《四库全书》史部文献分十五类，以“正史类”居首，定义为“正史体尊，义与经配”，就是说正史的权威性可以与儒家经书相匹配。正史的概念始于唐初，涵盖范围随着历史发展陆续增加，到清朝中叶经乾隆皇帝“钦定”，确立为二十四部，亦称“二十四史”。1921年，北洋政府宣布将清末民初柯劭忞所撰《新元史》列入正史范围。另外，民国前期赵尔巽等撰的《清史稿》虽未通过南京国民政府审查，但由于编纂体例和定位相近，当代研究者习惯上也将它作为“准正史”看待。因此，又出现了“二十五史”“二十六史”这样的概念。

广西历史源远流长，无论是史前社会还是先秦时期，抑或是秦汉以后，都有着厚重且引以为傲的历史文化。“二十四史”等正史，便存有众多关于广西历史文化的重要资料。梳理这些传世典籍中有关广西的内容，从某种意义上讲，不仅是直接延续了广西地方文脉，更是间接守护了中华民族的文化血脉。同时，中国地方志源远流长，历代修志绵延不绝，成为中华民族特有的优秀文化传统。正所谓“国有史，地有志”，广西地方志进一步丰富了广西历史文化内容。

回顾历史，早在20世纪80年代，在已故著名学者莫乃群（1911—1990年）先生主持下，广西壮族自治区通志馆就编纂了约一百五十万字的《二十四史广西资料辑录》（广西人民出版社1989年出版），为学者研究古代广西历史提供了很大方便。我们这套《正史里的广西》，就是在上述资料辑录的基础上撰写而成的。关于撰写情况，简单说明如下：

第一，《二十四史广西资料辑录》从“二十四史”中抄录的与广西有关的资料十分完备，但仅是遵照正史原书篇章次序排列资料，并未根据资料性质分类归纳，也没有对资料进行注释或翻译。因此它主要是为学术研究服务的，不便普通读者阅读。《正史里的广西》则对“二十四史”所载相关内容突出重点，提炼专题，结合“二十四史”以外的史料，参考学术界研究成果，补充背景和细节，从而系统地向广大读者介绍与广西有关的历史文化知识。

第二，“二十四史”终结于《明史》，因此《二十四史广西资料辑录》缺乏清代内容。当时，广西壮族自治区通志馆另外编纂了《〈清实录〉广西资料辑录》(与广西壮族自治区图书馆合编，广西人民出版社1988年出版)，篇幅更为庞大，共六册，近两百万字。《正史里的广西》清代内容以与“二十四史”体例、性质基本相同的《清史稿》为准，保证全书编纂原则一致，涵盖中国古代全部王朝，前后规模大体相当，更加方便读者阅读。

第三，“二十四史”中关于广西的资料虽然相当丰富，但受限于“正史”性质和取材的影响，内容以政治、军事为主，经济和文化方面的记载比较单薄，且有遗漏。鉴于这种情况，有个别篇章在选题和内容上都超出了“正史”范围，或者说为“正史”所未载，而选取了地方志或者碑刻等文献资料。我们觉得，尽管《正史里的广西》以“正史里的广西”为题，但在某些问题上对“正史”记载有所拓展，也是合理或可以接受的。

第四，结合新时代的需求，《正史里的广西》的撰写思路遵循三项原则：首先，从铸牢中华民族共同体意识、传承中华优秀传统文化、推动中外文明交流互鉴的角度来选择书写对象；其次，挖掘历史人物、事件与广西的关联，致力于讲述中华文明发展中的广西故事；最后，点线结合，既注重对人物、事件的书写，也注重对广西历史脉络的构建。

《正史里的广西》按照时间顺序分为五册，分别由四位作者撰写。尽管各位作者的写作风格不尽相同，但都力图做到学术性与通俗性的统一，以求勾勒出广西文明史的演变脉络，呈现出立体、多元、富于动态的广西历史图景。

作为中华文明版图中的“南疆锁钥”，广西的特殊坐标既体现在地理区位的门户作用，更彰显于边疆民族地区维护国家统一、推动文化共生的历史实践。这种跨越时空的忠诚守护与文明交融，正是铸就中华民族生生不息坚实根基的核心力量。相信通过这套《正史里的广西》，读者可以更全面、深入地理解广西，从中国乃至世界文明的视域去审视广西，感知广西人民在漫长时代里披荆斩棘、一路走来的艰难辉煌历程，对广西各民族交往交流交融的历史和广西在维护民族团结、边疆安宁的贡献有更深刻的体认。

张　帆

（中国史学会副会长，北京大学历史学系原主任，统编高中历史教材《中外历史纲要（上）》主编）

目录

冼夫人：中国巾帼英雄第一人

谯国夫人者，高凉冼氏之女也。世为南越首领，跨据山洞，部落十余万家。夫人幼贤明，多筹略，在父母家，抚循部众，能行军用师，压服诸越。每劝亲族为善，由是信义结于本乡。……海南、儋耳归附者千余洞。梁大同初，罗州刺史冯融闻夫人有志行，为其子高凉太守宝聘以为妻。……及宝卒，岭表大乱，夫人怀集百越，数州晏然。……后遇陈国亡，岭南未有所附，数郡共奉夫人，号为圣母，保境安民。

……夫人亲被甲，乘介马，张锦伞，领彀……皆来参谒。还令统其部落，岭表遂定。高祖异之，拜盎为高州刺史，仍赦出暄，拜罗州刺史。追赠宝为广州总管、谯国公，册夫人为谯国夫人……

——魏徵等《隋书》卷八十《列女·谯国夫人传》

说起中国古代的巾帼英雄，民间传说中最著名的有花木兰、穆桂英、佘太君等，但未见正史记载。翻开青史，巾帼英雄，确有其人，其中岭南地区有一位女性，被周恩来总理赞誉为“中国巾帼英雄第一人”，她就是岭南地区俚人首领——冼夫人。

冼夫人（约512或525—约602或604年）的一生经历南朝梁、南朝陈、隋三朝，在治理岭南期间，她和她的后人始终致力于维护国家统一和民族团结，为岭南地区的稳定和繁荣做出了巨大贡献，彪炳史册。唐人所写的纪传体正史《隋书》与《北史》中均记载了冼夫人的光辉事迹。岭南百姓敬仰冼夫人，祭祀她的庙宇林立，其中广东西部地区、海南全岛及广西玉林地区等是主要分布地。

广东高州冼太庙前的冼夫人塑像

心系百姓，保境安宁

冼夫人自幼聪颖，接受了良好的儒家教育，因正直公平、睦邻惩恶的良好品行，被推举为渠帅（部落首领）。南北朝时期，岭南各部族民风悍勇。冼夫人积极主动吸收中原文化，倡导俚人“守礼崇信”，主张各部族之间要和睦相处，反对兄长冼挺恃强凌弱、掠人贩奴的行为，并以恩威并施的手段调解俚人部族间的纷争，维护了部族内的公正与信义，结束了部族内纷争不断的混乱局面。她还乘势上书，建议南朝梁政府在海南岛设置崖州，调兵遣将，渡海南下，采取分化瓦解的谋略，平叛招安，让孤悬海外近六百年的海南岛与中原重归一统。

南朝梁大同元年（535年），冼夫人与冯宝在高凉（今广东茂名阳江一带）结为夫妇。冯宝为何人？冯宝是时任罗州刺史冯融的儿子。冯融的家族原是北燕皇室后裔，北燕被北魏吞并后，冯业率族人迁居岭南，历经近百年的繁衍，成为当地的大姓。时任南朝梁罗州刺史的冯融仍然面临着“他乡羁旅，号令不行”的困境，在当地的影响力有限，无法真正融入当地社会，更难以掌握实际权力。为了改变这种局面，冯融为儿子冯宝求娶冼夫人，希望能通过联姻强化对地方的管理。

冼夫人与冯宝结婚后，她的大智大勇进一步得到展现。有人犯法，即使是自家的亲戚，她也要依法处理，增强了朝廷在当地的领导力、号召力。之后，当地政令有序，社会风气焕然一新。

广东高州冼太庙里的冼夫人与丈夫冯宝的塑像

婚后，冼夫人把维护国家统一放在首位，以智慧帮助冯家在高凉地区稳固了地位。南朝梁太清二年（548年），侯景反叛南朝梁，侯景之乱爆发。广州都督萧勃征召兵马援助台城（今江苏南京北极阁南大行宫一带），高州刺史李迁仕野心勃勃，意欲据大皋口自守，征召冯宝派兵前往。冯宝想去，但冼夫人敏锐地意识到李迁仕的征召之举不合规矩，便阻拦他。面对困惑不解的冯宝，冼夫人说："在广州都督征召支援台城时，李迁仕借病推脱不去，现在却铸造兵器，聚集人马，然后召唤你前往。倘若你去，便会被留作人质，夺取你的将士，因此你现在应当静观事态的发展，暂时不要前往。"几天后，李迁仕果然谋反，并派遣主帅杜平虏兵侵赣石（今江西赣州一带）。强敌来袭，冼夫人与冯宝临危不惧，以一招伪装送礼求和蒙蔽李迁仕。冼夫人亲率千余名将士步行至阵栅前，趁敌不备，一举击败李迁仕。随后，冼夫人率兵在赣石与陈霸先会合。回来后，冼夫人在冯宝面前盛赞陈霸先，认为他非常得民心，一定能剿灭贼人。

情在奉国，深识正理

557年，陈霸先代梁自立，国号“陈”，即南朝陈。此时，冯宝病逝，岭南战乱不断，冼夫人宽政爱民，将当地治理得井井有条。南朝陈永定二年（558年），为表示对新君的拥护，冼夫人派出九岁的儿子冯仆到丹阳（今江苏南京）朝见陈武帝陈霸先，冯仆被陈武帝任命为阳春郡守。后来，广州刺史欧阳纥谋反，试图引诱冯仆一同叛乱。冯仆及时报告了冼夫人，她坚决表示：“我为人忠贞，已经历两个朝代，不能因为舍不得你而背叛国家。”可见在她的心中，是将国家放在首位，而不惜牺牲家族成员的。冼夫人与百越酋长合作发兵抵御，最终击败欧阳纥的叛军。因平叛有功，冯仆被封为信都侯，后转任石龙太守；冼夫人也被册封为中郎将、石龙太夫人，被赏赐鼓吹、旌旗、节符仪仗，享有与刺史相当的待遇。

陈朝灭亡后，时局不稳，冼夫人保境安民，成为岭南地区多个州（含今广西陆川、北流等地）的首领，被尊称为“圣母”。隋开皇十年（590年），隋文帝杨坚派柱国将军韦洸招抚岭南，晋王杨广拿出陈主给冼夫人的信件和兵符、犀杖作为凭证，告诉她陈朝已灭亡。冼夫人看到犀杖后，确信陈朝已亡，于是聚集首领等数千人痛哭一日，随后迎接韦洸进入广州。自此，岭南地区和平归附隋朝，持续几百年的分裂局面重归一统。隋文帝杨坚册封冯魂为仪同三司，册封冼夫人为宋康郡夫人。

起初，隋朝在岭南的治理并没有那么顺利。岭南归隋的第二年，番禺人王仲宣谋反，在广州城包围了韦洸。冼夫人派孙子冯暄领兵救援。但冯暄与王仲宣的部将陈佛智交好，迟迟不出兵。冼夫人知道后大怒，将冯暄囚禁，改派孙子冯盎讨伐陈佛智，平定了王仲宣的叛乱。为了避免岭南再生事端，等到朝廷使者裴矩巡抚诸州时，冼夫人亲率大军护卫裴矩巡抚诸州，各地首领来参拜，岭南安定下来。隋文帝封冯盎为高州刺史，赦免冯暄，追赠冯宝为广州总管、谯国公，册封冼夫人为谯国夫人。冼夫人获隋文帝赐予印章、兵马调动权，以及布帛五千段，获皇后赐予首饰和宴服。每年大集会，冼夫人总会把御赐物品陈列于庭院内，明示子孙：“我尊奉三代君主，全凭一颗忠心。如今朝廷赐予的东西都保存在这里，这就是忠孝的回报，希望你们都能记住这一点。”她的忠贞爱国之情溢于言表。

当时，番州总管赵讷以贪婪暴虐闻名，致使百姓怨声载道，大量逃亡。冼夫人秘密上奏皇上，详细描述了赵讷的罪状。皇帝收到密奏后，立刻下诏追责赵讷，并委任冼夫人负责招抚那些因赵讷的暴政而逃亡的百姓。冼夫人亲带诏书，深入民间招抚百姓。隋文帝再赐冼夫人临振县食邑一千五百户，追赠冯仆为崖州总管、平原郡公。

忠孝之报，千秋为念

隋朝仁寿初年，冼夫人逝世，皇帝给她追谥“诚敬夫人”。冼夫人历经三朝，主理岭南军政超过半个世纪，一生致力于维护国家的统一和民族的团结，确保了社会的和谐稳定，推动了岭南地区的经济繁荣。她的故事，不仅是一部记录民族交融的历史，更是一首歌颂女性智慧和勇气的赞歌。由她一手缔造的冯冼家族，以忠君爱国为立家之本，在隋唐之际及之后的近二百年里深刻影响岭南历史的进程。

在冼夫人的治理下，岭南地区不断发展，“修庠序之教，设婚姻之礼”。她鼓励俚人学习儒家文化，强化了岭南地区社会经济与文化教育的发展，对后世影响巨大。百姓尊崇她，称她为“岭南圣母”“圣母娘娘”“天南圣母”，并为她建庙祭祀。

据不完全统计，目前全世界有两千多座冼夫人庙，主要分布在我国广东、广西、海南等地，以及马来西亚、新加坡、越南、泰国等国家。其中，冼夫人的家乡广东高州有三百多座祭祀冼夫人的庙宇，形成“乡乡有冼庙”的独特人文景观。广东

广西北流六靖冼太庙

高州市长坡镇旧城村冼太庙，相传始建于隋朝，是始建年代最早的纪念冼夫人的庙宇，在高州市的冼太庙中知名度最高。在广西，冼夫人庙主要分布在桂南地区。据旧志记载，北流城东、六靖镇、清湾镇等均有冼夫人庙。各地的冼夫人庙均有祭祀信俗，如广东、广西的年例，海南的军坡节等。冼夫人信俗在2014年被列入第四批国家级非物质文化遗产代表性项目名录。

裴矩：三千敝卒定岭南

裴矩字弘大，河东闻喜人也。……奉诏巡抚岭南，未行而高智慧、汪文进等相聚作乱，吴、越道闭，上难遣矩行。矩请速进，上许之。行至南康，得兵数千人。时俚帅王仲宣逼广州……矩进击破之，贼惧，释东衡州，据原长岭。又击破之，遂斩师举，进军自南海援广州。仲宣惧而溃散。矩所绥集者二十余州，又承制署其渠帅为刺史、县令。

——魏徵等《隋书》卷六十七《裴矩传》

隋朝统一岭南地区后，在维护国家统一和有效管理岭南地区的进程中，有诸多能臣武将为其做出贡献。隋朝初年的裴矩，胆识过人，以三千敝卒定岭南，安抚百姓，整顿吏治，恢复生产，稳定了岭南地区的局势，为隋朝的统一大业奠定了坚实的基础，促进了岭南各族百姓的交往交流交融。

好学不倦，知恩图报

裴矩（547—627 年），字弘大，其家庭是河东闻喜（今山西闻喜东北）的世家，祖父曾任北魏中军将军，父亲亦曾为北齐太子舍人，家学之深厚，门第之显赫，自不待言。但裴矩尚在襁褓之中，便遭逢父亲离世之厄，与母亲相依为命。

裴矩自幼聪颖，对文学情有独钟。然而，裴矩的伯父裴让之告诫裴矩："你虽聪明过人，文学造诣亦深，但若想在乱世中立足，成就一番事业，还需关心世间事务，掌握治国安邦之术。"确实，除了读万卷书，还应习治世之术。裴矩听后深受触动，此后孜孜不倦地学习，熟悉兵法等诸多知识，声名日渐远播。当时，北齐的北平王高贞担任司州牧，得知裴矩之名后，遂招他入府担任兵曹从事一职。裴矩尽显才华，不久便升任高贞的文学侍从。然而，世事难料，随着北齐的覆灭，裴矩失去了官职，陷入困境。

此时，杨坚出任定州总管，听闻裴矩之名，立即派人将他

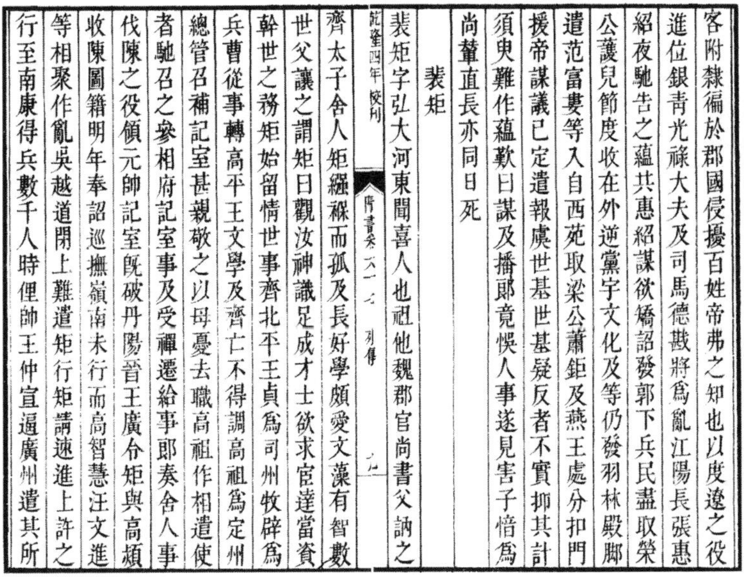
客附隸編於郡國侵擾百姓帝弗之知也以度遼之役
進位銀青光祿大夫及司馬德戡將為亂江陽長張惠
紹夜馳告之蘊共惠紹謀欲矯詔發郭下兵民盡取榮
公護兒節度收在外逆黨宇文化及等仍發羽林殿腳
遣范富婁等入自西苑取梁公蕭鉅及燕王處分扣門
援帝謀議已定遣報虞世基世基疑反者不實抑其計
須臾難作蘊歎曰謀及播郎竟悞人事遂見害子愔為
尚輦直長亦同日死

裴矩

裴矩字弘大河東聞喜人也祖他魏郡官尚書父訥之

乾隆四年校刊 隋書卷六十七 列傳 九

齊太子舍人矩繈褓而孤及長好學頗愛文藻有智數
世父讓之謂矩曰觀汝神識足成才士欲求宦達當資
幹世之務矩始留情世事齊北平王貞為司州牧辟為
兵曹從事轉高平王文學及齊亡不得調高祖為定州
總管召補記室甚親敬之以母憂去職高祖作相遣使
者馳召之參相府記室事及受禪遷給事郎奏舍人事
伐陳之役領元帥記室既破丹陽晉王廣令矩與高熲
收陳圖籍明年奉詔巡撫嶺南未行而高智慧汪文進
等相聚作亂吳越道閉上難遣矩行矩請速進上許之
行至南康得兵數千人時俚帥王仲宣逼廣州遣其所

《隋书》中关于裴矩的记载

招入府中，担任记室之职。杨坚对裴矩极为器重，两人关系甚笃。后来，裴矩因母亲去世而辞官守孝。几年后，杨坚推翻北周，建立隋朝，并登基为帝。他仍不忘裴矩，派人千里迢迢召他入京，参与相府记室的事务。裴矩感激涕零，誓言要为隋朝鞠躬尽瘁，死而后已。

主动请缨，平定岭南

隋朝初立，南方陈朝依旧割据一方，成为隋朝难以忽视的挑战。隋文帝杨坚深谙时势，决定出兵征讨陈朝，以实现统一。裴矩作为元帅记室，随同晋王杨广征战南北，战功显赫，屡获嘉奖。当隋朝大军攻破陈朝的都城后，裴矩与高颎共同负责收缴陈朝的典籍，为后世留存了大量南方政治、经济、文化方面的珍贵文献。

隋开皇十年（590年），隋文帝决定派遣裴矩前往岭南巡视。裴矩即将出发之际，南方的高智慧、汪文进等人聚众作乱，封锁了通往岭南的道路。是进还是退？隋文帝为此犹豫不决时，裴矩主动请缨，誓要平定岭南之乱。隋文帝深受感动，最终同意了裴矩的请求。

裴矩率领着三千士兵，翻山越岭，终于顺利抵达了南康（今江西赣州）。面对岭南俚人首领王仲宣率领大军围攻广州的严峻局势，裴矩无暇停歇，迅速与大将军鹿愿联手，整顿军马，前往广州解围。当他们火速赶到东衡州（今广东韶关）时，王仲宣的军队已经占据了九个营寨，盘踞在大庾岭之上，形成了一道难以攻破的防线。面对如此严峻的局势，裴矩并未退缩，他亲自披挂上阵，率领士兵们奋勇杀敌，一举击溃了王仲宣的军队。王仲宣见大势已去，无奈放弃东衡州，退守至原长岭。裴矩率军紧追不舍，在原长岭再次与王仲宣展开激战，击败了王仲宣的军队，并成功斩杀了其得力部将周师举。随后，裴矩率军进军广州，王仲宣的军队闻风惧溃，最终裴矩平定了叛乱。这一系列辉煌战绩充分彰显了裴矩的胆识和军事才能。

裴矩平定王仲宣叛乱后，通过军事威慑与政治安抚相结合的策略，成功安抚了岭南二十余州（含今广东、广西东部等地区），并承制任命当地首领为刺史、县令，稳定了局势，巩固了隋朝在岭南地区的统治。

巧维和谐，智驭叛乱

裴矩能够成功平定叛乱，关键在于他巧妙地维系了地方与朝廷之间的和谐关系。裴矩打击了叛乱的王仲宣势力，同时又独具慧眼，将王仲宣与其他地方首领区别对待，争取了他们的支持。特别值得一提的是，在王仲宣势力瓦解后，裴矩从维护地方稳定的大局出发，沿用旧俗，委任当地俚人首领为官治理当地。此举延续了当地俚人首领对百姓的管理，还将这些俚人首领任命为刺史、县令，成为朝廷的正式官员。此举即为唐朝在民族地区“羁縻而治”的雏形。这种做法得到了当地俚人首领的大力支持，冼夫人亲自穿上全副盔甲，张开锦伞，率领手持弓箭的骑兵，护卫裴矩巡视岭南诸州。在她的协助下，苍梧首领陈坦、冈州首领冯岑翁、梁化首领邓马头、藤州首领李光略、罗州首领庞靖等人纷纷前来参谒，并表示归顺隋朝，岭南地区的社会秩序得到了迅速的恢复和稳定，亦推动了岭南各族间的交往交流交融。

裴矩凯旋，隋文帝亲自迎接。他对着高颎、杨素等朝廷重臣称赞裴矩："韦洸虽统帅两万精兵，却迟迟未能突破岭南的天险，我时刻担忧，唯恐其兵力不足，难以克敌。而裴矩，仅以三千疲惫的士兵，便能长驱直入，直达南康。有这样的臣子，朕还有什么可忧虑的！"隋文帝的话语中充满了对裴矩的高度赞誉。于是因功授裴矩开府仪同三司，赐封"闻喜县公"并赏赐丰厚的物品。这彰显了对裴矩功勋的高度肯定。

何稠：诚信为上抚豪酋

开皇末，桂州俚李光仕聚众为乱，诏稠召募讨之。师次衡岭，遣使者谕其渠帅洞主莫崇解兵降款。桂州长史王文同锁崇以诣稠所。稠诈宣言曰："州县不能绥养，致边民扰叛，非崇之罪也。"乃命释之，引崇共坐，并从者四人，为设酒食而遣之。崇大悦，归洞不设备。稠至五更，掩入其洞，悉发俚兵，以临余贼。象州逆帅杜条辽、罗州逆帅庞靖等相继降款。分遣建州开府梁昵讨叛夷罗寿，罗州刺史冯暄讨贼帅李大檀，并平之，传首军门。承制署首领为州县官而还，众皆悦服。

——魏徵等《隋书》卷六十八《何稠传》

隋朝开皇末年，岭南地区桂州（今桂林）一带的俚人聚众起事，严重威胁着隋朝的边疆安宁。何稠不负朝廷之命，先智降莫崇，后推行恩信政策，使俚人首领宁猛力诚心归降。至此，岭南地区民众的生活得以安定，民族交流得以持续。

智降莫崇，信义镇边

何稠（约543—约622年），字桂林，是国子祭酒何妥兄长的儿子。他年未及冠，便逢江陵之乱，随叔叔何妥避难于长安（今陕西西安）。在北周，他礼贤下士，深得人心。杨坚任北周丞相时，将他召为参军，并兼掌细作署。隋朝开皇初年，他被擢升为都督，随后屡获升迁，官至御府监，并曾任太府丞之职。

何稠画像

隋朝开皇十七年（597年），桂州俚人首领李光仕聚众起事，边陲烽火连天。朝廷闻此事，急命何稠领兵平乱，以保边疆安宁。何稠接令后，迅速招募勇士，整顿军备，率领大军浩浩荡荡地向衡岭进发。然而，他并未急于交战，而是选择智取。他派遣使者前往叛军营地，向叛军首领莫崇传达朝廷恩赦之意，意图分化叛军势力，进而平定叛乱。

莫崇虽然表面上应允归降，但是心中疑虑重重，担心何稠以他为诱饵，设下圈套诱捕其他叛军首领。然而，当莫崇被桂州长史王文同押至何稠营前时，何稠并未采取强硬手段对其严加审问或处罚，而是展现出怀柔之心，以诚相待。他对莫崇说："州县官员不能妥善地安抚百姓，导致边境民众起事，并不是你的过错。"随即何稠便命人解开锁链，让莫崇自由行动，以示诚意。接着，何稠又邀请莫崇入座，共饮美酒，并让他的四名随从同席。莫崇被何稠的诚意所感动，疑虑渐消。回到营地后，莫崇放松了戒备。

然而，何稠早已暗中布下天罗地网。五更时分，天色未明，何稠率领大军突然袭击莫崇营地。莫崇猝不及防，叛军纷纷投降。何稠趁机收编俚兵，准备向其他叛军首领发起进攻。在何稠的雷霆万钧之势下，象州叛军首领杜条辽、罗州叛军首领庞靖等人相继归降。为彻底平定叛乱，何稠又分兵两路：一路由建州开府梁昵率领，讨伐叛军首领罗寿；另一路由罗州刺史冯暄率领，讨伐叛军首领李大檀。两路大军齐头并进，叛乱很快得以平定。叛军首领的首级被传至军前辕门示众。

叛乱虽已平定，但何稠并未急于返回朝廷。他深知边疆安定的重要，遂在边疆推行恩信政策，安抚百姓和各族首领。他根据朝廷的旨意，临时任命一些首领为州县官员，协助朝廷管理岭南地区。同时，他还向百姓宣扬朝廷的政策，让百姓感受到朝廷的关怀。

何稠的恩信政策在边疆地区产生了深远的影响，有效增强了各部族首领和百姓对统一多民族国家的认同，他们纷纷表示愿意归附朝廷，共同维护岭南地区的安宁。

抚恤岭南，百姓归心

岭南地区的局势逐渐稳定之后，何稠遇到了一位非同寻常的人——钦州刺史宁猛力。宁猛力，这位昔日的俚人首领，以刚毅不屈的性格闻名，曾隐匿于深山之中，纠集族人，意图与隋朝廷分庭抗礼。然而，何稠并未以武力镇压这股势力，而是采取了恩信政策，用诚心去感化民众。他派遣使者深入丛林，与宁猛力进行了多次恳切的交流。在这些交流中，何稠不仅表达了朝廷的宽容和善意，还彰显了他的睿智与洞察力。

随着交流的深入，宁猛力开始重新评估自己与朝廷的关系。他逐渐了解到朝廷的诚意和善意。当何稠的大军抵达钦州时，宁猛力亲自率领族人前去迎接，表达了归附朝廷的意愿，并请求亲自入京觐见皇帝。但由于重病缠身，他无法长途跋涉至京城。何稠深知其诚意，便与他约定："待八九月间，你病愈之时，我们再在京城相见。"

令人痛惜的是，宁猛力并未等到约定的日子便离世了。皇帝闻讯后，对何稠说："你为何不早些将他带来京城？如今他已离世。"何稠回答："我与宁猛力早有约定，即便他不在了，我也会让他的儿子入朝侍奉。俚人性情耿直，我相信他的儿子定会遵从父亲的遗愿前来朝见。"

果不其然，宁猛力临终前对其子宁长真嘱咐道："我与朝廷派来的钦差大使有约定，不能失信于国家。你安葬我之后，务必立即启程前往京城。"宁长真遵照父亲的遗愿，前往京城觐见皇帝。皇帝得知此事后，大为感动地说："何稠与俚人之间的信义竟如此深厚！"随后，皇帝授予何稠开府仪同三司。

何稠凭借着卓越的军事谋略和恩信政策，成功地平定了岭南地区的叛乱，安抚了百姓。当地百姓的诚心归降，使得民族之间的交流与交融更加顺畅与频繁，从而促进了地区的安定与发展，巩固了朝廷对边疆地区的统治。

何稠深知"攻心为上"的道理，他在治理岭南地区时，并非单纯依赖武力，而是运用智慧与策略，让曾经动荡不安的岭南地区逐渐恢复了稳定。他大力推行民生政策，改善百姓的生活条件，使得岭南地区的社会经济得到了迅速发展。他的恩信政策不仅让岭南地区的百姓得到了关怀，也促进了民族之间的交流与交融。

何稠的一系列举措极大地巩固了朝廷对边疆地区的统治。岭南地区与朝廷的联系变得更加紧密，朝廷的政令得以在岭南地区畅通无阻地实施，为整个国家的统一与稳定奠定了坚实的基础。

令狐熙：弘恩信融百越

令狐熙，字长熙，敦煌人也，代为西州豪右。……熙性严重，有雅量，虽在私室，终日俨然，不妄通宾客，凡所交结，必一时名士。博览群书，尤明三礼，善骑射，颇知音律。……上以岭南夷、越数为反乱，征拜桂州总管十七州诸军事，许以便宜从事，刺史以下官得承制补授。给帐内五百人，赐帛五百匹，发传送其家累，改封武康郡公。熙至部，大弘恩信……先是，州县生梗，长吏多不得之官，寄政于总管府。熙悉遣之，为建城邑，开设学校，华夷感敬，称为大化。

——魏徵等《隋书》卷五十六《令狐熙传》

令狐熙（540—603年），出身于世家大族，学识渊博，为政清明，在隋文帝统治时期任桂州总管。在任期间，他恩威并施，大行善政，建城邑，设学校，有力地推动了广西地区社会经济和文化教育的发展。

善治岭南，大行教化

在隋文帝统治时期，为强化地方管理，朝廷统治手段日渐严厉。岭南地区民众不堪重负，屡次起事，给地方社会带来较大的影响。隋文帝深感忧虑，为确保边疆地区的安宁，特调令狐熙去总管桂州等十七州的军事，并赋予他临机专断之权，经皇帝批准后，可按制度补授刺史以下官员。鉴于岭南地区的环境恶劣，隋文帝特赐令狐熙五百名军帐内人员、五百匹布帛，并派专人供应他的家庭所需，改封他为武康郡公。令狐熙因何被委以这样的重任呢？这是因为他在担任汴州刺史时，名动天下，深得隋文帝的赏识。被委以重任后，令狐熙深受感动，誓要竭尽所能为朝廷稳定岭南地区。

令狐熙赴任桂州后，了解到前任总管多以武力胁迫当地居民，遂采取恩信与教化并行的方式治理。他采取了一系列措施安抚当地部落首领，传达朝廷的政策，以温和且高效的方式，成功收服了宁猛力等恃强自傲的部落首领，并获得他们的信任与尊重。各部落首领纷纷表示愿意归附朝廷，共同维护边疆地区的稳定。

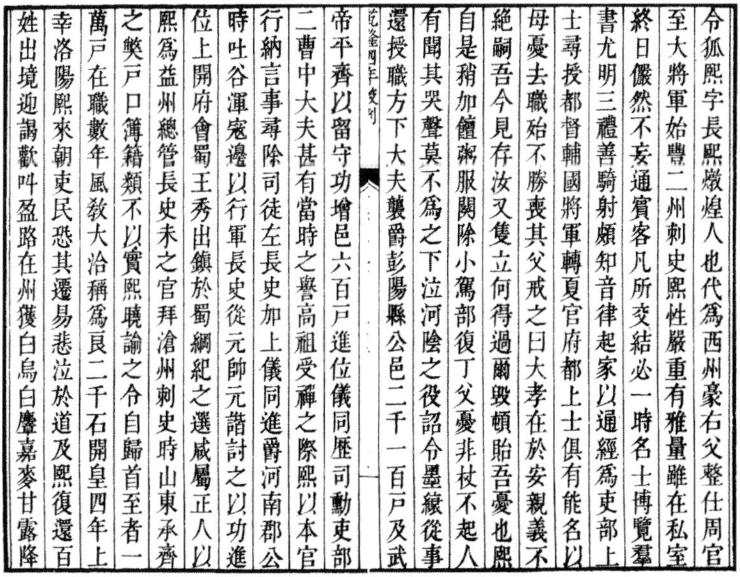

令狐熙字長熙燉煌人也代爲西州豪右父整仕周官
至大將軍始豐二州刺史熙性嚴重有雅量雖在私室
終日儼然不妄通賓客凡所交結必一時名士博覽羣
書尤明三禮善騎射頗知音律起家以通經爲吏部上
士尋授都督輔國將軍轉夏官府都上士俱有能名以
母憂去職殆不勝喪其父戒之曰大孝在於安親義不
絕嗣吾今見存汝又隻立何得過爾毁頓貽吾憂也熙
自是稍加饘粥服闋除小駕部復丁父憂非杖不起人
有聞其哭聲莫不爲之下泣河陰之役詔令墨縗從事
還授職方下大夫襲爵彭陽縣公邑二千一百戶及武
乾隆四年校刊
帝平齊以留守功增邑六百戶進位儀同歷司勳吏部
二曹中大夫甚有當時之譽高祖受禪之際熙以本官
行納言事尋除司徒左長史加上儀同進爵河南郡公
時吐谷渾寇邊以行軍長史從元帥元諧討之以功進
位上開府會蜀王秀出鎮於蜀綱紀之選咸屬正人以
熙爲益州總管長史未之官拜滄州刺史時山東承齊
之弊戶口簿籍類不以實熙曉諭之令自歸首至者一
萬戶在職數年風教大洽稱爲良二千石開皇四年上
幸洛陽熙來朝吏民恐其還易悲泣於道及熙復還百
姓出境迎謁歡叫盈路在州獲白烏白麞嘉麥甘露降

《隋书》中关于令狐熙的记载

此前，岭南各州县交通不便、民风彪悍，官员多无法到各州县上任，仅在总管府处理政事，导致政务积压。令狐熙知悉后，立即派官员分赴州县任职，主持修建城邑、开设学校。此举不仅促进了当地各族人民的交往交流交融，也改善了当地民众的生活条件，使岭南地区逐步展现出稳定的景象。当地百姓对令狐熙的治理成果大加赞赏，称之为“大行教化”。

此外，令狐熙发现州县重名现象普遍，影响行政办事效率，遂上奏朝廷，请求将安州改为钦州、黄州（治所在今广西防城港）改为峰州、东宁改为融州……隋文帝对此建议表示赞同，并批准了令狐熙的请求，此举提升了地区政区管理的效率。

收服宁猛力，促进民族交融

在令狐熙的精心治理之下，岭南地区呈现出显著的变化。其中，宁猛力的归附尤为引人注目。隋唐之际，宁氏家族作为钦廉地区的大族，长期担任钦廉地区的主要政务管理者。《新唐书》卷二百二十二记载："有宁氏者，相承为豪。"时任安州刺史的宁猛力，因与陈后主同日生辰，自诩有贵人之相。宁猛力性格桀骜，自视甚高，在陈朝时，他占据了南海，将其视为自己的势力范围。隋平定陈后，为稳定局势，隋文帝杨坚授予宁猛力安州刺史之职。然而，宁猛力仍恃才傲物，以地理险阻为由，未曾觐见总管等长官。

令狐熙上任后，采取了怀柔政策。他首先深入了解宁猛力，亲笔写信表达愿与之结交的意愿。经过深入了解，令狐熙发现宁猛力虽性格刚烈，实则孝顺。当宁猛力的母亲患病时，令狐熙赠以良药，有效缓解了其母亲的病痛。令狐熙的这份善意，打动了宁猛力。宁猛力主动前往总管府，请求觐见总管，归顺朝廷。宁猛力的归顺，让广西社会秩序重归一统，有力促进了民族交融。

横遭诽谤，含冤而亡

令狐熙任职几年后，深感精力不济，上表隋文帝。在上表当中，令狐熙自述在岭南地区做了一些事，如革夷陋俗、推行教化等，但因年高多病，才乏力竭，希望能致仕归田。但是隋文帝认为岭南地区在令狐熙的治理下大有改善，只有令狐熙才能够担起治理岭南地区的重任，因此没有同意他的请求，还赏赐了一些药给他，希望他能早日康复。

令狐熙接诏后，让交州渠帅李佛子入朝。李佛子企图谋反，便以各种借口拖延时间，请求仲冬时再上路。令狐熙为了笼络他，也就同意了他的请求。不久后，有人向隋文帝诬告令狐熙收受了李佛子的贿赂，故意放走了他。隋文帝听信了这些人的话，对令狐熙产生了怀疑。不久，李佛子反叛的消息传到了京城，隋文帝大怒，认为令狐熙受贿是真的，便派使者将他抓到京城问罪。令狐熙性格刚烈，因此抑郁不得志。到了永州之后，他因忧愤发病而去世。

令狐熙虽然死了，但是隋文帝的怒气却未消，没收了他的家产以示惩罚。直到后来行军总管刘方活捉了李佛子并送到京城，李佛子坦言令狐熙并没有贪赃受贿，这时隋文帝才意识到自己错怪了忠良之士。为了弥补过失，隋文帝招来令狐熙的四个儿子，给他们封官以表彰他们父亲的功绩。

令狐熙的一生堪称传奇，他凭借卓越的政治才能和高尚的道德品质，赢得了人们的尊敬和赞誉。在对岭南地区的治理中，他不仅显著改善了当地人民的生活条件，还极大地巩固了朝廷在边疆地区的统治地位。

裴肃：治藤州促交融

裴肃，字神封，河东闻喜人也。父侠，周民部大夫。肃少刚正，有局度……后执政者以岭表荒遐，遂希旨授肃永平郡丞，甚得民夷心。岁余，卒，时年六十二。夷、僚思之，为立庙于鄣江之浦。有子尚贤。

——魏徵等《隋书》卷六十二《裴肃传》

藤县，作为一个县级治所始于汉永平十四年（公元71年），当时称为鄣平县。后来县名多次变更，隋开皇九年（589年）设为藤州。隋大业三年（607年）改为永平郡，下辖十一个县，治所在今藤县东、浔江南、北流江东岸。藤县城里有一座庙，是为了纪念永平郡丞裴肃而建的。

深入八桂，探民疾苦

裴肃（？—627年），字神封，隋朝河东闻喜（今山西闻喜）人，从小性格刚正，有识量及气度，历任膳部侍郎、朔州总管长史、贝州长史，以才能卓越、治绩突出而知名。隋文帝杨坚晚年猜忌功臣，而晋王杨广又积极争夺帝位，致使太子杨勇被废黜、蜀王杨秀被贬黜、左仆射高颎被免职等。裴肃因曾直言上书隋文帝，为杨勇等人说情而被杨广怀恨在心。杨广继承皇位后，裴肃因此事久久得不到任用，后被派到广西任永平郡丞。

裴肃从关中地区跋山涉水到达广西，一路舟车劳顿。下车伊始，摆在他面前的是永平郡复杂的地形、满地的烟瘴以及极度不便的交通。岭南地区各族百姓大杂居、小聚居，风俗各异，如何实现良治，是一个复杂的社会治理系统工程。裴肃并未被这些困难所动摇，深知治理永平郡不能纸上谈兵，必须深入了解当地的实际情况。因此，到任后，他并未急于推行政策，而是首先深入民间，不辞辛劳地遍访各地村落，用心感受百姓的生活，与百姓深入交流，倾听他们的需求。经过深入走访，裴肃发现永平郡虽然资源丰富，但长期战乱和官府腐败，导致百姓生活困顿，民生凋敝。对此，他深感痛心，并立下誓言，将竭尽所能改善百姓的生活状况。

尊重传统，促进交融

广西自古以来为多民族杂居之地，各民族风俗迥异。裴肃深知，治理永平郡的首要任务在于妥善处理民族关系。因此，他在尊重当地民族传统习俗的基础上，积极推动各民族文化的交流与交融。

首先，在处理当地民族的关系上，裴肃实施“文化交融”政策，鼓励各民族相互交流、相互学习、相互借鉴。其次，他倡导开设学校，传授中原文化，以提升当地族群的文化水平。同时，他还积极鼓励汉族官员和士人与当地族群进行深入交流，以促进不同文化之间的交融。此外，裴肃还通过制定和完善相关的政策，确保各民族的平等权利得到保障，从而有效增强了当地民众的凝聚力。

在裴肃的不懈努力下，永平郡内各族群之间的隔阂逐渐消除，文化交融也日益深化，彼此间形成了一种你中有我、我中有你的和谐局面，维护了当地的和平与稳定。裴肃在处理民族关系方面展现出的智慧和才能，赢得了当地各族人民的尊重和支持。

勤政为民，鞠躬尽瘁

当时永平郡的生产滞后，各族群之间的冲突频发，严重冲击了当地社会的稳定及经济的发展，致使百姓生活困苦。为扭转此局面，裴肃采取了一系列严谨的举措，以期实现百姓安居乐业。

在经济层面，裴肃引入中原地区先进的耕作技术、生产工具及耕作知识，以提升当地农业生产力。鉴于永平郡气候湿润、雨水充沛，他鼓励百姓兴修水利，改善交通条件，推动农业生产水平的提高。在政治方面，裴肃积极与当地少数民族首领建立联系，通过授予官职或奖励等方式，赢得他们的支持，进而建立政治互信。在此基础上，他整顿地方政务，派遣官员赴各地建立城邑、开设学校，推动地方治理的规范化和制度化。在军事领域，裴肃加强军队训练，提高军队战斗力，修筑城墙和堡垒，加强巡逻和警戒，以确保永平郡的安宁。

在裴肃的精心治理下，永平郡社会秩序得以恢复，人民生活水平得到提升，文化教育事业蓬勃发展，实现了长期的稳定发展。同时，裴肃的治理也强化了朝廷对广西地区的控制力与影响力，有效维护了国家的统一与稳定。

裴肃在永平郡任职期间，密切关注民众的生活状况，积极为他们解决困难与问题。然而，长期的辛劳使裴肃的身体逐渐衰弱，在履职一年有余后不幸离世。裴肃逝世后，藤州民众深感痛惜，自发地为他建立庙宇，奉祀其功绩，并将他的事迹代代相传。

贺州蒋氏：母教典范

钟士雄母者，临贺蒋氏女也。士雄仕陈，为伏波将军。陈主以士雄岭南酋帅，虑其反覆，每质蒋氏于都下。及晋王广平江南，以士雄在岭表，欲以恩义致之，遣蒋氏归临贺。既而同郡虞子茂、钟文华等作乱，举兵攻城，遣人召士雄，士雄将应之。蒋氏谓士雄曰："我前在扬都，备尝辛苦。今逢圣化，母子聚集，没身不能上报，焉得为逆哉！汝若禽兽其心，背德忘义者，我当自杀于汝前。"士雄于是遂止。蒋氏复为书与子茂等，谕以祸福。子茂不从，寻为官军所败。上闻蒋氏，甚异之，封为安乐县君。

——魏徵等《隋书》卷八十《列女·钟士雄母传》

在今广西贺州市钟山县白马寨，有一块《隋朝富川列女蒋氏塚西观寺碑》（又称《蒋氏神道碑》）。它见证了隋朝时期广西各族百姓为维护国家统一所做的贡献，亦是中华民族凝聚力的重要物证。碑中的主人公蒋氏是岭南酋帅钟士雄的母亲，她因忠于国家而名垂青史。

身陷囹圄，心系百姓

蒋氏（？—607年），南北朝时期临贺郡（今广西贺州）人，自幼贤淑明礼，善言辞。她知书达理，能写东汉著名才女班昭擅长的汉赋，又习东晋知名书法家卫夫人的书法，造诣很高。成年后，她嫁给贺城太守钟骞为妻，育有二子，长子钟士雄，次子钟士略。

陈朝末年，朝政纷乱，群雄并起，四海之内皆不安宁。钟家在岭南势力颇大，是拥有武装的地方豪强。隋开皇二年（582年），钟骞去世。此时，江南、岭南尚处在陈朝的控制之下。陈后主（陈叔宝）为了拉拢钟家的势力以稳固政权，于是封钟士雄为伏波将军，让他成为岭南军队首领。因钟氏家族的权势日益增长，陈后主对钟士雄这位岭南首帅的实力和野心产生了深深的忌惮。他忧虑钟士雄会倚仗其强大的兵力，乘势而起，割据一方，对陈朝的江山构成威胁。于是，陈后主将钟士雄的母亲蒋氏长时间拘留在都城，试图通过此手段来控制钟士

《隋朝富州列女蒋氏塚西观寺碑》拓片

雄的动向。

蒋氏，先是遭受了丧夫之痛，后又不得不面对与儿子的分离之苦。身处异乡，她在君主多疑的目光下度日如年，心中充满了对儿子和钟氏家族命运的担忧。她害怕自己的儿子和家族会陷入不义的境地，因此积忧成疾，身体每况愈下，日渐衰弱。

在漫长的异乡岁月里，蒋氏一边思念着远方的儿子，一边为那些生活在战乱中的百姓感到心痛。她深知儿子的忠诚与才华，同时也对陈朝统治下的政治腐败和民生凋敝有着清醒的认识，期望能有一位贤明的君主出现，结束这分崩离析的乱局，让百姓重获安宁，不再遭受离别的痛苦。

深明大义，忠贞爱国

杨广成功平定江南之后，鉴于钟士雄在岭南地区享有的威望，他决定以恩义为纽带，尝试招抚钟士雄。杨广深知钟士雄期望与母亲蒋氏重逢，特意将蒋氏送回临贺，以此彰显隋朝对钟士雄的诚意。蒋氏与儿子重逢后，她百感交集，感慨道："今天幸得圣上推行仁政教化，我们母子得以重聚，虽然我自己不能以身报国，又怎么能背叛国家呢？"这也说明了国家大一统趋势下，她具有强烈的家国情怀。

就在此时，临贺郡内的虞子茂、钟文华等人因不服隋朝廷的管制，公然举兵攻城，意图割据一方。鉴于钟士雄的才能与威望，虞子茂、钟文华等人认为有他的加入能事半功倍，遂派人前去游说。面对诱惑，钟士雄的内心矛盾重重，他既想为国家尽忠，又想为家族争光，决定响应虞子茂、钟文华等人的号召，起兵反叛。

得知此事的蒋氏痛心疾首，她回忆起自己在陈朝都城为人质时的艰辛岁月，以及隋朝给予她和家人的团聚与安宁。她义正词严地告诫儿子："我之前在陈朝的都城做人质的时候，吃尽了苦头。现在遇到了圣明的君主，让我们母子得以团聚，我即使死了也报答不了这样的恩情，又怎么会做出违背的事情呢！如果你像禽兽一样没有良心，背弃道德和道义，我宁愿死在你的面前。"她严令儿子钟士雄不得做背德忘义之事，否则就在他面前自尽。她不惜牺牲性命也要让儿子坚守忠义爱国之道，足见她作为一位母亲的良苦用心，亦见证了她在大是大非面前维护国家一统的忠义之情。蒋氏的这番话，震撼了钟士雄的内心，他深感羞愧，毅然拒绝了虞子茂等人的邀请，选择忠诚于隋朝。

蒋氏深知战乱给百姓和朝廷带来的重创，她虽为一介妇人，却也希望能为百姓和朝廷尽一份绵薄之力。于是，她写信给虞子茂、钟文华等人，劝诫他们放弃叛乱与割据的念头，不要因一己私欲而置百姓于水火之中。她强调男儿应当顶天立地，保护弱小，为百姓谋求福祉。虞子茂、钟文华等人并未听从劝告，反而变本加厉地进行烧杀抢掠。最终，隋朝军队强力镇压了这场叛乱。此次叛乱虽然给岭南地区带来了一定的损失与破坏，但也让更多人见证了蒋氏的智慧与勇气。

树立典范，影响深远

隋大业三年（607年），蒋氏去世，第二年，她的后人将她迁葬于白马寨，与其丈夫合葬。隋文帝闻知蒋氏事迹，深受感动，特敕封其为“安乐县君”，并在白马寨赐建长生观、延寿寺，以彰其烈。

蒋氏的深明大义与远见卓识，被后人广为传颂。她以行动诠释了忠孝两全的精神，为后世树立了崇高的道德典范。到唐武德四年（621年）李靖平定岭南时，获悉蒋氏大义之事，深受感动，遂提拔蒋氏次子钟士略为贺州刺史。唐太宗时期，蒋氏维护国家一统的事迹被唐太宗获悉，他大为感动，拨款修缮蒋氏的坟墓，并下令工部侍郎苏颋（tǐng）为蒋氏撰写碑文《隋朝富川列女蒋氏塚西观寺碑》，并据蒋氏在隋朝获封“安乐县君”的封号将蒋氏墓所在的水西里改名为松安里。

蒋氏之墓在五代时被战乱损毁。北宋皇祐四年（1052年）富川县令刘珣将碑文刊刻于合掌石上，以向世人彰显蒋氏忠义之心。历经千年沧桑，蒋氏的忠贞与英勇事迹，仍在贺州这片土地上被传颂。为铭记这位为了民族大义毅然劝诫其子维护国家一统的伟大女性，人们特地编排了戏剧《临贺长歌》，以传颂她传奇的一生及可贵的忠义精神。

钦州宁氏：家族世代守岭南

有钦州刺史宁猛力，帅众迎军。初，猛力倔强山洞，欲图为逆，至是惶惧，请身入朝。稠以其疾笃，因示无猜贰，遂放还州，与之约曰："八九月间，可诣京师相见。"……初，猛力临终，诫其子长真曰："我与大使为约，不可失信于国士。汝葬我讫，即宜上路。"长真如言入朝，上大悦曰："何稠著信蛮夷，乃至于此。"以勋授开府。

——魏徵等《隋书》卷六十八《何稠传》

猛力死，子长真袭刺史。及讨林邑，长真出兵攻其后，又率部落数千从征辽东，炀帝召为鸿胪卿，授安抚大使，遣还。又以其族人宁宣为合浦太守。

——欧阳修、宋祁等《新唐书》卷二百二十二下《南蛮下·南平獠》

宁氏家族是壮族先民的后代，世代为岭南豪酋。在南朝梁武帝至唐中宗神龙年间的两个多世纪里，广西钦州宁氏家族与广东高州冯氏家族一样，都在岭南地区声威显赫。宁氏家族以钦州为基地，在其势力鼎盛的隋唐时期，辖区包括桂东南、桂西南等地。每次新王朝建立，宁氏家族均积极协助新政权完成统一大业，为当地的社会稳定与发展做出了重要贡献。宁猛力和其子宁长真是其中的佼佼者。

宁猛力归隋护统一

宁猛力是宁氏家族最有作为的人。陈朝末年，宁猛力派弟弟宁暄带兵进驻合浦一带，控制那里的采珠业和盐业。他自己也借机扩大势力范围，宁氏家族由此成为岭南地区举足轻重的地方豪强。

隋朝建立后，岭南归于一统，但当地俚人首领有抗拒之心，其中尤以桂州俚人首领李光仕之势力为甚。隋开皇十七年（597年）二月，李光仕起事，隋文帝派上柱国王世积与前桂州总管周法尚率军平叛，随后选派令狐熙担任桂州总管。

令狐熙到任后，积极推行安抚政策，争取当地少数民族首领的支持。宁猛力是当地颇具影响力的首领，成为令狐熙的重要招抚对象。令狐熙亲自致信宁猛力，以诚相交。当得知宁猛力的母亲患病，令狐熙即刻派人送药，他的真诚之心深深打动了宁猛力。宁猛力大力支持令狐熙的治理工作。

令狐熙在桂州任总管五年，政绩斐然，广西政局得以稳固，民众安居乐业。此等成就，既源于令狐熙出色的政治能力，也离不开隋文帝推行的和谐民族政策，更与宁猛力顾全大局、维护国家统一的行为密不可分。

钦州原称安州，州治在今陆屋镇西一里。令狐熙以安州与别处同名为由，向朝廷启奏获准，于隋开皇十八年（598年）改安州为钦州，取钦顺之义，以纪念宁猛力归顺朝廷一事。

宁长真代父守信入朝

隋开皇十七年（597年），隋文帝在调派大军平定岭南俚人首领李光仕起事时，又派何稠募兵平乱。何稠每攻克一个地方，立即收编当地俚兵，既确保兵源充足，又能决绝乱源，这策略堪称高明。宁猛力带领部下迎接何稠，并要求随军入朝，以表诚心。何稠见他身患有病，令他回去休养，待病愈后到八九月时再去京城朝见。何稠返抵京城，将此情况奏报隋文帝，隋文帝大为不悦。同年十月，宁猛力病逝，隋文帝说起此事，颇为遗憾。何稠回答："我与宁猛力早有约定，即使他不在了，我也会让他的儿子入朝侍奉。俚人性情耿直，我相信他的儿子定会遵从父亲的遗愿前来朝见。"

果不其然，宁猛力临终之际，对他的儿子宁长真说："我与朝廷派来的钦差大使有约定，不能失信于国家。你安葬我之后，务必立即启程前往京城。”宁猛力给儿子宁长真的遗言是要遵行他和朝廷使臣的约定，在葬礼结束后马上启程到京城觐见，以践行承诺。为了不失信于朝廷，完成宁猛力的遗愿，宁长真遵循父命，入京觐见了隋文帝。

宁长真归唐守境安民

隋炀帝即位后，隋朝国力日益强大，大力开疆拓土。宁长真均率军随行，屡立军功，封赏无数，受封鸿胪卿、安抚使，升右光禄大夫、宁越郡太守。

隋朝末年，天下大乱，群雄并起，萧铣趁机雄踞岭南，自立为梁帝。宁氏家族基于其领地之利，选择归附于萧铣的统治。萧铣意图招降交趾而未果时，他派遣宁长真率军队出征。可萧铣并未给予宁长真任何增援的军队或粮草。宁长真在缺乏支援的情况下，孤军深入，最终因力量悬殊而惨败，仅带领少数随从退回钦州。经过此次战役，宁长真认识到萧铣的平庸无能，认为不值得继续为其效力。因此，他选择休养生息，静观局势。

唐武德四年（621年），李靖率军讨平萧铣。宁长真并未与唐军发生对抗，而是予以积极配合，以实际行动支持唐朝的统一战争。在宁长真的协助下，钦州地区迅速得以平定，为唐朝

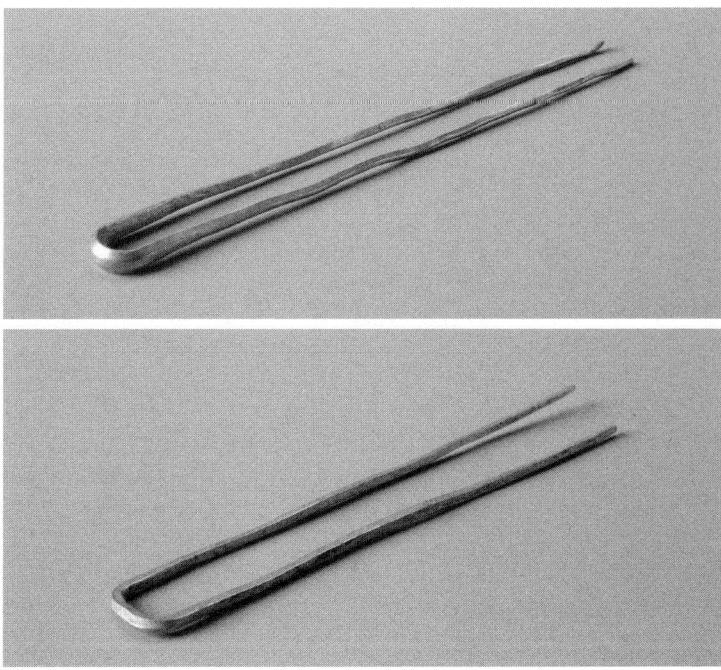

广西钦州宁氏家族墓地出土的金发钗

统一岭南地区节省大量兵力与财力。从这一角度来看，宁氏家族在唐朝统一进程中起到了不可忽视的作用。战后，李靖驻军于桂州。随后，宁长真派遣其子弟觐见李靖，表达“以宁越、郁林之地降”的意愿。因此，唐高祖特任命宁长真为钦州都督，其族侄宁纯为廉州刺史、宁道明为南越州刺史。广西东南沿海一带地区依然处于宁氏家族的管辖范围之内。宁氏家族始终保持着对国家的忠诚，代代相传。

在宁长真的治理下，钦州及周边地区得到长足的发展。他重视农业，兴修水利，鼓励百姓耕作，使得当地粮食产量大幅提升，人民生活水平得到显著改善。同时，他还加强与中原地区的贸易往来，引进生产技术和中原文化，促进当地的经济繁荣和文化交流。除此之外，他还倡导尊师重道，兴办学校，鼓励子弟求学，培养了一大批有学识、有才能的人才，为当地的发展做出了重要贡献。

宁猛力的子孙后裔在钦州不断发展，宁氏家族成为地方豪强。宁氏家族墓地位于钦州大雾岭东麓，此处曾发掘出隋大业五年（609年）正议大夫宁赞墓碑和唐开元二十年（732年）刺史宁道务墓等墓葬。宁氏家族墓地的随葬品丰富，除陶瓷外，还有金发钗、铜镜、钱币、金箔冥币等，这些出土文物是研究隋唐时期钦州当地民族交往交流交融的重要文物资料。

李靖：桂林子城的首筑者

李靖字药师，京兆三原人。姿貌魁秀，通书史。……以功封永康县公，检校荆州刺史。乃度岭至桂州，分道招慰。酋领冯盎等皆以子弟来谒，南方悉定。裁量款效，承制补官。得郡凡九十六，户六十余万。诏书劳勉，授岭南抚慰大使、检校桂州总管。……即率兵南巡，所过问疾苦，延见长老，宣布天子恩意，远近欢服。

——欧阳修、宋祁等《新唐书》卷九十三《李靖传》

李靖（571—649年），本名药师，出生于京北三原（今陕西三原东北），是唐初军事家。李靖出身于陇西李氏家族，初仕隋朝，后转仕唐朝，屡立战功。他曾任岭南道抚慰大使、检校桂州总管，治策得当，“远近欢服”。

乱世英雄，顺势辅唐

隋朝末年，隋炀帝挥金如土，连年大兴土木，不断对外用兵，繁重的徭役与兵役让百姓苦不堪言。在这种压迫之下，反隋起义如雨后春笋般在各地兴起，形成了众多割据势力，天下大乱。

李靖身材高大，气宇轩昂，武艺超群，文采横溢，在军事战略上有独到见解，对兵法的掌握出神入化，因此得到其舅父——隋朝名将韩擒虎的推崇，被赞有辅佐帝王的才能。隋大业十三年（617年），太原留守李渊以防范突厥为名，大规模征兵。李靖觉察到不寻常，怀疑李渊意图谋反，于是决定面奏隋炀帝揭发李渊的阴谋。然而，不等李靖面见皇帝，李渊已经攻占了都城，并将他囚禁起来，甚至打算就地处决。临刑前，李靖大呼：“明公兴起义兵，本是为天下除暴安民，怎么不想着成就大业而以私人恩怨斩杀壮士呢？”所幸李渊之子李世民深知李靖的才华与人品，坚决为他求情，最终李靖幸免于难，投入李世民的麾下。

广西桂林漓江畔的李靖塑像

隋大业十三年（617年），李渊成功占领隋朝都城后，扶持隋炀帝的孙子代王杨侑为“傀儡皇帝”。翌年，李渊接受了杨侑的禅让，正式登基称帝，改年号为“武德”。自此，李唐王朝的历史篇章正式拉开帷幕。李靖也踏上了他的“战神”征程，开始了辉煌的军事生涯。

唐武德四年（621年），唐高祖李渊决定对南方割据势力萧铣发动军事行动，李靖为此次行动提出了关键的十条策略。唐军在李靖的指挥下，杀敌过万，缴获战船四百余艘。

为防止萧铣的援兵到来，李靖下令将缴获的战船遗弃江中，使其顺流而下，让萧铣的援军误以为江陵已沦陷，不敢轻易靠近。最终，走投无路的萧铣派出使者请求投降，萧铣政权自此退出历史舞台。

总管桂州，筑城安民

唐武德四年（621年），平定萧铣的叛乱后，李靖出任桂州总管。到达广西之后，李靖着手实施一系列安抚政策。他分兵多路，亲自前往各地招抚少数民族的首领，如高州的冯盎、贵州（治所在今广西贵港一带）的李光度、钦州的宁长真等人。这些地方豪杰纷纷归顺，李靖根据他们的能力和贡献，分别予以他们适当的官职，有效维护了地方秩序。他关心民生，深入州县，探访和慰问生活贫困的百姓，与当地的长者交流，传播天子的恩德和仁义，使得各地的百姓都心悦诚服，而他也深受百姓爱戴。

唐武德四年（621年）十一月，李靖到桂州上任后，便着手规划桂州的城池建设。李靖观察到桂州环城有山，东有漓江，是有天然屏障，但仍需人工加强军事防御。出于政治和军事防御之需，他选取漓江西岸（约在今天桂林市的解放东路和正阳路的交叉处）筑城，作为桂州城的官署衙门所在地，此城建成后被称为“子城”“衙城”。

桂州城池以独秀峰东南一带为中心，为正方形，设有腾仙、东江、静江、顺庆四座城门。如今的桂林榕湖北岸有一座古南门，据史志记载，此门始建于唐代（现存为后朝重建），门前植榕一棵，其根盘结，跨门而生，又称榕树门。明代地理学家徐霞客曾游览此门，并做了记载。李靖还在州城东墙面江处修建逍遥楼。唐代颜真卿虽未到过桂州，但后人临摹了他为蒲州（今山西永济）所做的题字拓片“逍遥楼”三字刻碑立于此楼。

广西桂林古南门现状

此后，随着人口的增长和桂州政治、经济地位的日益提升，桂州城池多次得到修筑。唐宣宗大中元年（847年），桂州刺史蔡袭在子城的基础上增筑外城，其范围大致在东到漓江沿岸的滨江路，南到现在的漓江大瀑布饭店，西到中山中路，北到独秀峰北面，外城里住的主要是百姓。唐宣宗大中年间，桂州向西扩建外城，计八个城门，最远的通波门在雉山之南。唐僖宗光启年间，桂州都督陈可环抽调万人扩建夹城，夹城的中心区在现在的中华路一带。这前后三次的桂州城池修建历时两百多年，使得桂州城成为当时岭南地区的一座大城市。唐人宋之问谪仕钦州、桂州，在其所写《桂州三月三日》里的诗词“始安繁华旧风俗，帐饮倾城沸江曲”，即是对桂州城繁华景象的描写。

李靖对子城的兴建，奠定了唐代桂州城的基础。如今的桂林古城是在唐代李靖所建的桂州城的基础上，经历各朝不断修筑而成的。

桂人感念，建祠祭祀

除修桂州城池外，李靖还修兴安、昭州（今广西平乐）等地的城池，加强了广西中心城镇的建设。

唐武德六年（623年）七月，李靖收到朝廷讨伐窃据丹阳的伏威、辅公祏的诏书后，便离开了桂州，再次踏上征途。之后，他北灭东突厥，西破吐谷浑，居功甚伟，唐贞观十一年（637年），他凭借卓越战功被封为卫国公。唐贞观十七年（643年），列名“凌烟阁二十四功臣”。唐贞观二十三年（649年），李靖病逝，终年七十九岁，册赠司徒、并州都督，谥号“景武”，陪葬昭陵。

李靖一生戎马，战功赫赫，著有《六军镜》《卫公兵法》等多部兵书，可惜已失传。宋代学者施珪对李靖的军事智慧深感敬佩，将李靖的《上西岳书》刻在广西藤县和平乐。清人辑录诸书，将李靖《卫公兵法》整理成《李卫公兵法》，此书成为后人研究他的军事思想和兵法理论的重要材料。

李靖功绩显著，人们在其征战、仕宦之地建有祠庙以纪念他。李靖离桂后，后人感德，为他建祠。明代《寰宇通志》卷一百九记载：“李卫公庙，在藤县西。卫公，唐李靖，以平萧铣至此，后人立庙祀之。”

在唐末，李靖逐渐被神化。藤县除有李卫公庙外，还有忠烈祠、八贤祠供奉李靖。明代嘉靖《广西通志》卷三十三亦称：桂林有“李卫公庙，在城东七星山下，宋绍兴间建以祀唐李靖”。岑溪亦有李卫公庙，“在县西，祀唐李靖以平萧铣至此。本朝天顺间重修”。另据史料记载，富川有李卫公庙，博白有李卫公山，北流勾漏洞有李靖《上西岳书》的摩崖石刻等。

明人王承裕所写的《李卫公通纂》里有记载，在今桂林城东的七星山下有祭祀李靖的李卫公庙，北宋绍圣二年（1095

年）建，乾道年间重修。建庙的缘由是李靖在桂州立了大功，抚民有道，社会安定，为此百姓敬重他，为了崇德报功而建。李靖治理广西期间，行善政，大兴文教，有力促进了国家的统一与民族的交融，赢得了百姓的爱戴。如今桂林人为李靖做的雕像立于滨江路段漓江边的步道上，以纪念他为今桂林历史文化发展做出的贡献。

李袭志：唐代第一任桂州总管

李袭志字重光，本陇西狄道人……袭志，初仕隋，历始安郡丞。大业末，江外盗贼尤甚，袭志散家产，招募得三千人以守郡城。时萧铣、林士弘、曹武徹等争来攻击，袭志固守久之。……袭志固守，经二年而无援，卒为萧铣所陷，铣署为工部尚书、检校桂州总管。

武德初，高祖遣其子玄嗣赍书召之，袭志乃密说岭南首领随永平郡守李光度与之归国……及萧铣平，江南道大使、赵郡王孝恭授袭志桂州总管。武德五年入朝，授柱国，封始安郡公，拜江州都督。及辅公祏反，又以袭志为水军总管讨平之，转桂州都督。袭志前后凡任桂州二十八载，政尚清简，岭外安之。后表请入朝，拜右光禄大夫、行汾州刺史致仕，卒于家……

——刘昫等《旧唐书》卷五十九《李袭志传》

李袭志（约557—653年），字重光，金州安康（今陕西石泉）人，出身于官宦士族陇西李氏家族，其父辈均任高官。他父亲李敬猷是隋朝台州刺史，封爵安康郡公。隋末唐初，唐朝灭萧铣后，他策动岭南六十余州郡归顺唐朝，授任桂州总管，迁上柱国、江州都督。平定辅公祏叛乱后，他迁桂州都督。

隋末募兵，守城护民

在隋朝大业末年，岭南地区盗贼尤为猖獗，时任始安郡丞的李袭志不惜散尽家财，招募了三千勇士保卫郡城。在此期间，萧铣、林士弘、曹武彻等人相继发起攻击，但李袭志坚守阵地，对方始终未能攻克。有人对李袭志建议：“您家族历代显赫，长期在边远郡地，蛮夷畏惧您的威严，士民对您心悦诚服。虽然您身为隋朝臣子，但在我们心中，您更是德高望重之人。如今江都宇文化及篡权，全国动乱，自立为王者不在少数，您应借此机会割据岭南，百越之人必将归顺。效仿南越王尉佗，这也是千载难逢的机遇。”对此，李袭志极为愤慨，回应道：“我李家世代以忠贞为本，临危受命。如今虽江都陷落，但国家尚存，我等应同心协力，进攻中原，共同复仇。岂能利用国家之乱图谋反叛？我宁愿为国捐躯，也绝不会背弃气节以求生存。尉佗愚昧无知，有何可仰慕之处？”李袭志欲杀此劝谏者，众人因此不敢再有此言论。

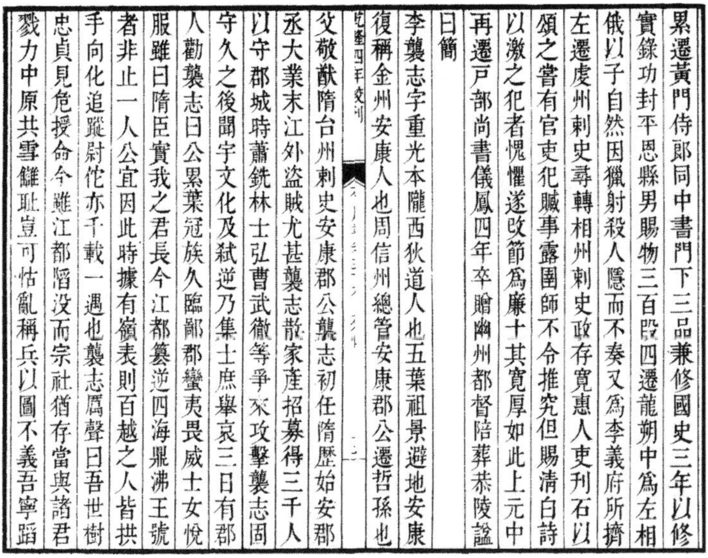
累遷黃門侍郎同中書門下三品兼修國史三年以修
實錄功封平恩縣男賜物三百段四遷龍朔中爲左相
俄以子自然因獵射殺人隱而不奏又爲李義府所擠
左遷虔州刺史尋轉相州刺史政存寬惠人吏刊石以
頌之嘗有官吏犯贓事露圉師不令推究但賜清白詩
以激之犯者愧懼遂改節爲廉十其寬厚如此上元中
再遷戶部尚書儀鳳四年卒贈幽州都督陪葬恭陵謚
曰簡
李襲志字重光本隴西狄道人也五葉祖景避地安康
復稱金州安康人也周信州總管安康郡公遷哲孫也
乾隆四年校刊
父敬猷隋台州刺史安康郡公襲志初任隋歷始安郡
丞大業末江外盜賊尤甚襲志散家產招募得三千人
以守郡城時蕭銑林士弘曹武徹等爭來攻擊襲志固
守久之後聞宇文化及弑逆乃集士庶舉哀三日有郡
人勸襲志曰公累葉冠族久臨鄙郡蠻夷畏威士女悅
服雖曰隋臣實我之君長今江都篡逆四海鼎沸王號
者非止一人公宜因此時據有嶺表則百越之人皆拱
手向化追蹤尉佗亦千載一遇也襲志厲聲曰吾世樹
忠貞見危授命今雖江都淪沒而宗社猶存當與諸君
戮力中原共雪讎恥豈可怙亂稱兵以圖不義吾寧蹈

《旧唐书》中关于李袭志的记载

李袭志率领部下坚守始安郡（今广西桂林）两年，但因内部缺粮草、外部无援军，被萧铣攻破。李袭志被俘后，萧铣任命他为工部尚书、检校桂州总管。

归唐治桂，吏治清明

618年，李渊登基称帝，建立了唐朝政权，是为唐高祖。唐高祖派遣李袭志之子李玄嗣携带书信前往桂州，意在招抚李袭志归顺唐朝。李袭志积极响应，并暗中劝说岭南首领李光度共同归顺唐朝，足见李袭志善于审时度势，亦有为百姓谋安定之仁心。唐高祖再次致书李袭志，强调二人同属一宗，不同于外人，应当堂堂正正归顺朝廷。

唐武德四年（621年），唐军成功平定萧铣之乱，李袭志在此契机下，成功促使岭南六十余州郡归附唐朝。为表彰李袭志，唐高祖任命他为桂州总管。这是对李袭志稳定广西局势、维护国家统一的贡献的肯定。

唐武德五年（622年），李袭志赴长安觐见唐高祖，因其卓越贡献，被晋升为上柱国，封爵为始安郡公，并被任命为江州都督。唐武德六年（623年），辅公祏反叛唐朝，李袭志被任命为水军总督，协同李靖率兵讨伐辅公祏。唐武德七年（624年），成功平定辅公祏叛乱。随后，李袭志改任桂州都督，驻守桂林长达二十八年。其间，他推行清正廉洁的吏治，节俭理财，为广西带来了安定与繁荣。

晚年，李袭志上表请求入朝，被授予光禄大夫，后以桂州都督致仕，最终在家中辞世。在唐代人莫休符所写的《桂林风土记》里有李袭志的简传，其中对于李袭志在桂州二十八年的任官经历，莫休符用了八个字："政尚清简，岭外安之。"这是对他最大的肯定。

褚遂良谪桂留经碑

褚遂良，散骑常侍亮之子也。……贞观十年，自秘书郎迁起居郎。遂良博涉文史，尤工隶书，父友欧阳询甚重之。太宗尝谓侍中魏徵曰：“虞世南死后，无人可以论书。”……左迁遂良潭州都督。显庆二年，转桂州都督。未几，又贬为爱州刺史。明年，卒官，年六十三。

——刘昫等《旧唐书》卷八十《褚遂良传》

褚遂良（596—658或659年），字登善，钱塘（今浙江杭州）人，唐朝大臣、书法家。褚遂良自幼受父亲褚亮及文学大家欧阳询、虞世南的熏陶，学识渊博，书法造诣深厚。他深得唐太宗李世民的赏识，历任要职，参与朝政，更在唐太宗临终时受命辅政。然而，因坚决反对唐高宗立武则天为后，褚遂良遭贬谪，仕途坎坷。他曾任桂州都督，在今桂林开元寺留有《金刚经》石碑一块，虽碑文已毁，但被后人铭记。

广西桂林开元寺《金刚经》石碑

才华横溢，直言进谏

褚遂良出身名门望族，家族为河南褚氏，其十二世祖褚砦在西晋末年随王室南渡，迁居丹阳，其后一支移居钱塘，成为当地大姓。褚遂良的父亲褚亮以博学多才而闻名，隋朝时，他与虞世南以文学齐名，辅助晋王杨广，担任东宫学士。褚遂良在父亲褚亮及父亲好友欧阳询、虞世南的指导下，学识与书法技艺不断增进。褚遂良与欧阳询、虞世南、薛稷并称“初唐四大家”。褚遂良对笔和纸是很讲究的。据《旧唐书》卷八十四称，裴行俭曾对人说：“褚遂良非精笔佳墨，未尝辄书。”从褚遂良晚年的书碑来看，他所用的笔是制作精良而笔毛较长的硬毫。褚遂良的传世墨迹有《孟法师碑》《雁塔圣教序》等。

褚遂良深得唐太宗的重用，历任起居郎、谏议大夫，累迁中书令，执掌朝政大权。唐贞观二十三年（649年），他与司空长孙无忌同受遗诏辅政。临终前，唐太宗对太子李治说：有长孙无忌和褚遂良在，我就放心了。唐高宗李治继位后，褚遂良升任左仆射，被册封为河南郡公，历任同州刺史、吏部尚书，累迁右仆射，参知政事。唐永徽六年（655年），褚遂良与长孙无忌强烈反对册立武则天为皇后，他将官笏（hù）放在台阶上，把官帽摘下，叩头至流血，最终惹怒皇帝和武则天。

唐永徽六年（655年）十月，武则天被册封为皇后，褚遂良被贬到潭州（今湖南长沙）。褚遂良谪贬期间，写有七言绝句《湘潭偶题诗》：“远山酋萃翠凝烟，灿漫桐花二月天。游遍九衢灯火夜，归来月挂海棠前。”该诗字里行间流露出他内心的失落和孤寂之感。

贬谪桂州，手书经文

唐显庆二年（657年），褚遂良续遭谪贬，前往桂州任桂州都督。在桂州期间，褚遂良曾住在城南的开元寺内。史书记载，开元寺始建于隋朝，当时叫作缘化寺，是今桂林较古老的一座佛寺；唐代更名为兴善寺，后又改为开元寺，是佛门信徒顶礼膜拜的圣地。

唐代，开元寺兴建舍利塔，褚遂良为此撰写了《金刚经》，并刻写在舍利塔前的石碑上，这是他在桂州期间留下的唯一书法艺术珍品。唐人莫休符的《桂林风土记》里有开元寺的条目称："隋曰缘化寺，后因纱灯延火烧毁重建。元宗朝改名开元寺。有前使褚公亲笔写《金刚经》碑，在舍利塔前。"这就是对褚遂良写碑的明证。可惜在清乾隆时期，临桂县典史严成坦对褚遂良"愚忠先帝，蔑视武后"的行为十分不满，下令铲掉舍利塔。如今，在舍利塔旁只剩下一块留有云头的空碑，殊为可惜。

不过，略为安慰后人的是，开元寺舍利塔内原有舍利函，函体分四面，其中一面刻舍利函记，另外三面刻佛像。虽然舍利函已佚失，但其拓片被后人保存下来，现藏于广西壮族自治区博物馆，其字体为楷书，记录了开元寺建塔及葬舍利之事，书写者是谁，无考。从其书写风格来看，具有初唐欧阳询、褚遂良楷书的特点，颇具法度。

元结建容州经略台

前后经略使陈仁琇、李抗、侯令仪、耿慎惑、元结、长孙全绪等，虽容州刺史，皆寄理藤州，或寄梧州。

——刘昫等《旧唐书》卷一百五十七《王翃传》

元结（719—772年），字次山，号漫郎、聱叟，河南（治今河南洛阳）人，唐代著名政治家、文学家。他在容州（今广西容县）为官，抚集当地首领，稳定各州局势，清廉开明，通过减免徭役、收容流亡者等措施，改善民生，深受百姓爱戴，获立碑颂德。他的文学造诣很深，梧州的冰井因他的诗而闻名，容州经略台因他而建。

护国爱民，容州理乱

元结属鲜卑族，先祖原姓拓跋，是北魏王族常山王拓跋遵的第十五代孙，在北魏孝文帝时改姓元。元结年少不羁，十七岁时才开始跟堂兄元德秀学习。唐天宝六载（747年），元结到长安应举，落第，后归隐商余山，写有《元子》十篇。唐天宝十二载（753年），元结成功考取进士。不久，安史之乱爆发，元结率族人南奔，避难于今湖北大冶。

元结富有正义感，关心国家安危与人民疾苦。唐乾元二年（759年）十月，史思明攻伐河阳。当年冬天，元结担任山南东道节度使史翙（huì）的幕僚，积极招募义兵，成功保全了十五座城池。元结任道州刺史等地方军政职务时，面对战乱后残破的州城，他上书申请减免赋税，并安抚百姓，恢复生产。两年内，道州即从“户才满千”的残败状况恢复为“归者万余家”，百姓感恩，为他立生祠。

唐大历三年（768年），元结因政绩出色，调任容州刺史，兼容管经略使，并被授予容州都督职衔。由于安史之乱，岭南兵役繁重，当地百姓苦不堪言，岭南瑶族首领梁崇牵和覃开等联合西原瑶族首领张侯、夏永等率众起来反抗，攻占容州十几年。元结到任前的四任容管经略使，根本无法进入容州，都是在梧州或藤州理政。

元结到任后，临危受命，把家眷寄居梧州后，便“单车将命，赴于贼庭”。他有悯民之心，对少数民族不歧视，不镇压，而是以非凡的胆略、见识和异常的气魄深入山区，对少数民族首领晓以大义，劝勉抚慰，同时宣扬政教，以自己是鲜卑族的身份宣讲朝廷政策，消除了身份障碍后，与民族首领缔盟，使得他们心悦诚服，战乱自消。短短六十天，他就使八个州恢复了安定的局面，展现出了卓越的治军理政才能。在短短一年间，容州得以安定，物阜民丰，百姓对其感激不已。与他同时代的大诗人杜甫曾发出这样的感叹：“得结辈十数公，落落然参错天下为邦伯，万物吐气，天下少安可得矣。”

建经略台，名留千古

唐大历三年（768年），元结任容管经略使时，为了操练军士和欣赏风景，在北灵山上修筑了经略台。经略台临江而建，中间夯土，四周用砖石砌筑，坚实稳固。此台是我国现存唯一

广西容县经略台真武阁

的以经略使官职命名的高台，以“经略”命名，寓意深远，象征着经营天下、略有四海之志向。元结曾经多次在容州经略台召开军事会议，并常常游玩、小憩于台畔。他还在台后池塘里种莲，建亭观莲，还将城西江上一块平坦的石头命名为“洼尊”。

元结所建的经略台，在明代初年被改为真武庙。到明万历元年（1573年）时，因城内多遭火灾，知县伍可受率绅民将其改建为真武阁。如今的真武阁是一座独具风格的木构建筑，全阁楼用近三千条大小不等、坚如石质的铁梨木构件铆合为一个整体。楼底二十根巨柱笔直挺立，其中八根直通顶楼，是三层楼阁全部荷载的支柱。二层楼有四根支柱，用以承载上层的楼板、梁架、配柱和屋瓦等，脚柱却悬空离地三厘米，是全楼结构中最为奇特、最为精巧的部分。这种结构的方法是在悬空的柱上，分上下两层用十八根梁枋穿过檐柱，组成两组严密的“杠杆式”斗拱，拱头承托外面宽阔的瓦檐，拱尾托起室内的悬空柱，这种像天平一样维持一座建筑物平衡的独特“杠杆结构”，在建筑史上实属罕见。真武阁距今已四百多年历史，经历了多次地震和台风，仍然屹立不倒，实为中国古建筑中的杰作。

以诗抒怀，关爱黎民

元结作为诗人、散文家，在文学上颇有造诣。元结在任容州刺史期间，将梧州东门的清泉起名为“冰井”，并在井侧建冰井寺，写有《冰泉铭并序》，称：“苍梧郡城东二三里，有泉焉。出在郭中，清而甘，寒苦冰。在盛暑之候，苍梧之人得救渴。泉与火山相对，故命之曰冰泉，以变旧俗。铭曰：火山无火，冰泉无冰，惟彼清泉，甘寒可徵。铸金磨石，篆刻此铭，置之泉上，彰厥后生。”他以极其简练的语言，把火山、冰泉的特点写了出来。后人为纪念他，曾经把冰泉改为“漫泉”。陈洙作有《漫泉亭赋》，盛赞他的贤德和功绩。

元结志向宏大，既能英勇杀敌于战场，又能以诗抒怀于文坛。他继承《诗经》、乐府传统，主张诗歌为政治教化服务，要“极帝王理乱之道，系古人规讽之流”，认为文学应当“道达情性”，起“救时劝俗”的作用。他的诗歌除少数四言、骚体与七古、七绝外，主要是五言古风，内容富有现实性，质朴淳厚，笔力遒劲，颇具特色。元结的散文或直抒胸臆，或托物刺讥，具有深刻的现实性。元结有《元次山集》传世，后人把他看作韩柳古文运动的先驱。

元子之政，遗爱容州

元结孝敬母亲，日常亲自照顾她，但因自己被派到容州任职，使年老多病的母亲悲伤哭泣，元结亦是心痛不已。他连写《让容州表》《再让容州表》两封表，多次提及要辞官尽孝之心，其拳拳赤子之心溢于言表，但未获准。唐大历四年（769年），朝廷加封他为左金吾卫将军，兼御史中丞。诏书未到，元结的母亲病逝，他丁忧于永州，继而守丧于祁阳浯溪。元结以丁忧离职归去的时候，容州百姓纷纷进行挽留。

唐大历七年（772年）正月，元结奉诏到长安，四月病逝，十一月被葬于河南鲁山青岭泉陂原。为了纪念这位廉洁的大臣，当地民众为他立起一块《元结德政碑》。

元结病逝后，好友颜真卿为他撰写《唐故容州都督兼御史中丞本管经略使元君表墓碑铭并序》（又称《元次山碑》《容州都督元结碑》，现位于河南省平顶山市鲁山县第一高级中学校园内）。颜真卿亲手撰写悼文记述了元结生平事迹。其中对于元结只身入溪峒地区招抚少数民族首领之事写得很精彩：“容府自艰虞以来，所管皆固拒山谷，君单车入洞，亲自抚谕，六旬而收复八州。丁陈郡太夫人忧，百姓诣使请留。”

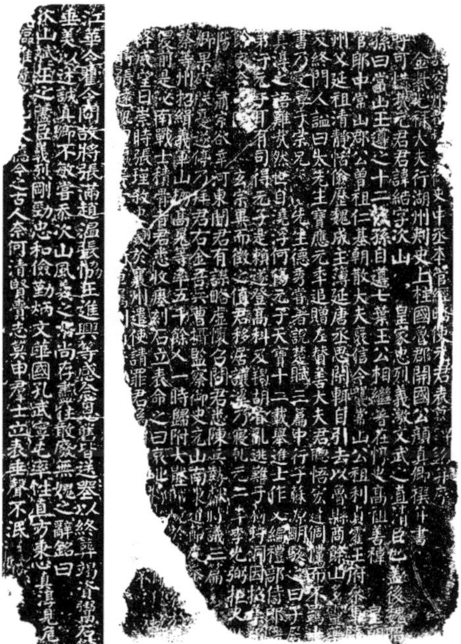

《唐故容州都督兼御史中丞本管经略使元君表墓碑铭并序》拓片

宋代的容州太守王次翁为元结建起了一座“次山堂”，在堂中刻有他的遗像和他在道州所写的《乞免科率二奏》。宋代李纲被贬琼州（今海南海口一带），北归时途经容州，也在“次山堂”题诗一首。诗中“华堂高敞为思元，善政相望数百年”即是对元结遗爱容州的最好表达。

韦丹：治容州筑城劝农兴学

韦丹，字文明，京兆万年人……丹蚤孤，从外祖颜真卿学……为容州刺史。教民耕织，止惰游，兴学校，民贫自鬻者，赎归之，禁吏不得掠为隶。始城州，周十三里，屯田二十四所，教种茶、麦，仁化大行。

——欧阳修、宋祁等《新唐书》卷一百九十七《循吏·韦丹传》

韦丹（753—810年），字文明，京兆万年（今陕西西安）人，历任咸阳县尉、太子舍人、容州刺史、谏议大夫、洪州刺史、江南西道观察使等职，为政廉明。

取消卖官费

韦丹幼年时丧父，跟随外祖父颜真卿学习。起初，韦丹明经及第，被授安远县令，但他把官位让给同父异母的哥哥，自己则去紫阁峪奉养叔父韦能。

后来，韦丹考中五经科，被授咸阳尉，邠（bīn）宁节度使张献甫请他作为幕僚。唐顺宗为太子时，韦丹被调入东宫。唐贞元十四年（798年），他被诏拜司封郎中兼御史中丞，时逢新罗国国君去世，韦丹被派去吊丧。按惯例，出使国外可以赏赐十个州县级别的官位名额，使者们可以拿这些官位换取出使国外的费用，称为“私觌（dí）官”。韦丹却认为，出使外国的费用不够，应当向朝廷申请，怎么可以卖官赚钱？随后他详细罗列出使国外的费用清单，上奏皇帝请求拨付费用，并把这种做法写入法令制度，改变了以“私觌官”充作出使国外费用的不良旧例。

始筑容州城

容城镇在汉代时为合浦县属地，自西晋开始设荡昌县，隋朝为普宁县，唐初设铜州，唐太宗时因境内有大容山而改名容州。唐开元二十一年（733年），在广州设岭南道节度经略使，下设广州、桂州、邕州、容州、交州五个总管经略使都督府，史称“岭南五管”。容州总管经略使下辖十四个州六十多个县，治所迁至普宁（即容城镇），这也是容县最早得名的由来。自此，容城镇连升三级，成为县治、州治和容州总管经略使驻地，成为重要的军事政治重镇。

唐元和元年（806年），韦丹任容州刺史，兼任容州总管经略使。到任后，他发现普宁县升格为容州后还没按州治建设城防工事，为了维护社会治安，他首先做的事就是主持容州城的修筑。

修筑完成后的容州城由子城和外城组成：子城即今天的容县县城；外城跨绣江南北两岸，以骆驼桥相通。容州城布局规整，衙署、寺庙等均有。如今的容县博物馆里藏有许多唐代建城的建筑构件，如砖、瓦等。在子城的北门外开设市场，称为北市。在绣江南岸筑长堤防洪，并设置南市。城外又开屯田二十四处，有经略军驻守。此举大大促进了容州的开发和农业生产的发展。

广西容县容州古城景区大门

时至今日，容县容州镇东光村下垠队，仍存有一段由夯土筑成的古城墙。这段古城墙年代久远，据专家考证，应为唐代容州城的外城城墙。2017年，该遗址以“容州古城城墙”之名入选第七批广西壮族自治区文物保护单位。

仁政爱民

韦丹认为发展人口、推行教化是巩固统治的要事。

在容州任职期间，韦丹督促百姓发展农业，亲自教百姓种植茶树、小麦等作物。同时，鉴于桑蚕业一直是容州的重要产业，他也积极推广纺织业。此外，他还兴办学校，促进了孔孟思想的传播，推动了当地文化教育的进步和发展。

当时，岭南地区的奴婢买卖盛行，为此，韦丹颁布了一道法令：将因贫穷而卖身为奴的百姓赎出并让他们回家，还严令官吏，不允许把百姓抢掠来作为奴隶。这道“废奴”法令在当时的意义重大，不仅解放了劳动力，还安抚了当地的民心，对于招募兵员、民夫很有号召力。

容州城跨容江南北，在南岸，韦丹带领军民筑长堤，防洪水。即使离任后到达江西任洪州刺史、江南西道观察使期间，韦丹亦在大规模扩建城区和拓宽城市大道、设立南北两大市场等方面实行诸多德政。

在治理南昌城防洪堤方面，韦丹修筑六公里堤坝，辅以闸门泄洪，共挖陂塘五百九十八处，可蓄水灌田一万两千顷。这段福泽千秋的堤坝，被后世称为“韦公堤”。韦丹离开后的第二年，长江洪水暴发，水位迅猛上涨，幸得“韦公堤”，百姓得以安全。

只要是为百姓谋福利的事，韦丹都乐此不疲。为此，在他去世后，韩愈为其撰墓志铭，杜牧奉诏为其作《遗爱碑》，“遗爱”二字即是对他实行德政的最大肯定。

柳宗元德政惠民治柳州

柳人以男女质钱，过期不赎，子本均，则没为奴婢。宗元设方计，悉赎归之。尤贫者，令书庸，视直足相当，还其质。已没者，出己钱助赎。南方为进士者，走数千里从宗元游，经指授者，为文辞皆有法。世号柳柳州。

——欧阳修、宋祁等《新唐书》卷一百六十八《柳宗元传》

柳宗元（773—819年），字子厚，河东解县（今山西运城西南），生于长安。他于唐贞元八年（792年）被推为乡贡，次年中进士，唐贞元十二年（796年）任中书省校书郎，唐贞元十四年（798年）中博学宏辞科，之后历任蓝田尉、监察御史里行、礼部员外郎等职。唐元和十四年（819年），他病逝于柳州。柳宗元在中国历史上享有极高的声誉，是“唐宋八大家”之一，有文集《柳河东集》传世。在柳州任职期间，柳宗元写了百篇优秀诗文，人们称他为“柳柳州”。

解救奴婢，禁卖人口

唐永贞元年（805年），以翰林学士王叔文为首的革新派成员秉持改革精神，推出了一系列兴利除弊的举措，史称“永贞革新”。由于触及了保守势力的利益，革新运动仅短暂地维持了一百四十多天便以失败告终。永贞革新失败后，柳宗元被贬为永州司马。从唐永贞元年（805年）贬官至永州，直到唐元和十年（815年）正月，柳宗元接到了回京的诏书，后再次因故被贬；三月，柳宗元被任命为柳州刺史。

经过三个月的长途跋涉，柳宗元于唐元和十年（815年）六月到达柳州。当时的柳州治所在马平县，即今天柳州市区。因长途跋涉，柳宗元到柳州后大病一场，骨瘦如柴，但是他振奋精神，积极投身地方治理。

广西柳州西江路口山岭上的柳宗元塑像

唐朝时，虽然有法令禁止奴婢掠卖，但在边远地区人口掠卖的现象仍然很常见。柳宗元对当地人口买卖的现象深恶痛绝，遂多次深入调查。《童区寄传》是柳宗元创作的一篇传记文学作品，记录了一个真实的故事，即童区寄被两个强盗劫持后，凭着自己的勇敢与机智，终于手刃强盗，保全了自己的故事。一般认为此书创作于柳州，开篇即称“柳先生曰：越人少恩，生男女，必货视之。自毁齿已上，父兄鬻卖以觊其利”。这是唐代岭南地区人口掠卖现象的真实写照。

当时，柳州地区不仅有奴婢掠卖，还有抵押男女换钱的陋习。柳宗元对柳州地区将良人男女以典贴形式转为奴婢役使的情况极为痛恨，下定决心要废除这一剥削制度。柳宗元制定了一项解放奴婢的政策，规定奴婢可以用钱赎身，赎身后便是

“良人”。考虑到有付不起赎身钱的人，政策还规定自沦为奴婢之日起，奴婢可向主人计算工钱，当工钱与债款相抵时，奴婢身份就自动解除。这种算工钱的政策，实际上已把奴婢视为佣工或雇工。对那些已经被钱主没收的男女，柳宗元出钱将他们赎回。柳宗元的做法对于打击奴隶制残余、巩固封建生产关系、维护地方社会秩序稳定起到了很好的作用。桂管观察使裴行立还将此举在柳州之外的地区推广，后人对此评价甚高。

种柳植柑，掘井利民

在柳州任职期间，柳宗元积极致力于推动地方生产的发展，采取了一系列具体举措。鉴于柳州城临近柳江，他亲自引导百姓沿柳江种植柳树，这不仅增强了河堤的稳定性，还增添了城市的景观。他还创作了《种柳戏题》一诗：“柳州柳刺史，种柳柳江边。谈笑为故事，推移成昔年。垂阴当覆地，耸干会参天。好作思人树，惭无惠化传。”诗中的“思人树”是指西周召公姬奭（shì）常在甘棠树下处理政事，后人护树以寄思的典故。柳宗元借用“思人树”的典故，表达了自己效法召公、造福百姓的崇高志向。

柳宗元曾在永州愚溪学习种植柑橘的技术，到柳州后，他在城西北亲自栽种黄柑二百株，意在推动柑橘产业的发展。他创作了《柳州城西北隅种柑树》一诗：“手种黄柑二百株，春来新叶遍城隅。方同楚客怜皇树，不学荆门利木奴。几岁开花闻喷雪，何人摘实见垂珠？若教坐待成林日，滋味还堪养老夫。”柳宗元去世后，柳州人民为了纪念他，在他种柑橘的地方建立了“柑子堂”，后来又在罗池旁建立“柑香亭”，这一遗迹至今犹存。

在治理柳州的过程中，柳宗元注重兴利除弊，其中一项重要举措便是挖井便民。鉴于柳州百姓日常饮用柳江水的不便，他筹措经费在城北城壕处打井，解决了百姓的饮水问题。他还为此创作了《井铭并序》，详细记录了这一善政的实施过程。

在修复柳州大云寺的过程中，柳宗元鼓励僧人参与农事生产，组织民众在附近开荒种植，其中竹子就种植了三万株，形成了大片的竹林。大旱之年，他更是亲自前往雷塘祭神求雨，

广西柳州柳侯祠

并写下祭文，以人格向上天起誓，祈求神灵赐雨以解民困。这种为民请命的精神，彰显了他深厚的爱民情怀。

兴文重教，和集峒氓

柳宗元在治理柳州期间，对文教事业极其重视。他上任后，迅速着手修缮文宣王庙（即孔庙），至当年十月已将其整修一新，并撰写了《柳州文宣王新修庙碑》，立碑于庙门，以记录此事。此外，他还积极兴办学堂，恢复府学，全面推动文教事业的发展。

柳宗元亲自讲学，传播先进的文学思想，吸引众多青年学子慕名前来求学。这一举措极大地提升了柳州乃至岭南地区百姓的文化水平。柳宗元所立庙碑虽已不存，但元至元二十六年（1289年），地方官员在柳城重新立起了柳州文宣王庙碑，碑上刻有柳宗元的碑文及肖像，此碑现保存于柳州市柳侯祠内。

广西柳州地区少数民族众多，拥有独特的语言、生活及风俗习惯。柳宗元在《柳州峒氓》一诗中描绘了当地少数民族的“趁圩”习俗：“郡城南下接通津，异服殊音不可亲。青箬裹盐归峒客，绿荷包饭趁虚人。鹅毛御腊缝山罽（jì），鸡骨占年拜水神。愁向公庭问重译，欲投章甫作文身。”在这首诗当中，柳宗元表现了乐观向上的心态。虽然他所讲的语言与当地百姓不同，但是峒民的“青箬裹盐”“绿荷包饭”“鸡骨占年”等习俗让他大开眼界，同时又感慨百姓生活的贫苦。当时，柳州正遭受霍乱的困扰，民众患有疾病。柳宗元倡导用医药治病，亲自深入民间寻医问药，找到了治疗霍乱的药方，并亲自向群众推广医学知识；他还在住所周围种植草药。综上所述，柳宗元成为移风易俗的引领者，促进了柳州地区各民族之间的交流。

柳宗元治理柳州期间，勤勉于政务，善于治理，成效显著。唐元和十四年（819年），柳宗元在柳州逝世，享年四十七岁。他生前为官清廉，家境贫寒，最终在友人的筹措下，他的灵柩得以运回长安安葬。柳宗元逝世后，依据柳宗元“馆我于罗池”的遗愿，柳州人民在罗池旁修建了柳侯祠，建庙以纪念他。祠内的《荔子碑》刻于南宋嘉定十年（1217年），此碑因涉及柳宗元的德政、韩愈的美文、苏轼的书法，三位一体，故

广西柳州柳宗元衣冠冢

称“三绝碑”。南宋理学家朱熹称它“奇伟雄健”，明代文学家王世贞称它为“天下第一碑”。

虽然柳宗元在官场上“失意”，但是柳州百姓得到他的恩惠，为他建庙，庙祀传承不断。唐至宋代，柳州百姓祭祀柳宗元已成风俗，宋人郭详正所写的诗《寄题罗池庙》可为证：“种柳江边不得归，殁将灵魄寓罗池。名参韩子犹为幸，党入王生最可悲。帘卷瘴云灯断续，门荒秋雨菊离披。早禳请祷年年事，瓦鼓巫歌奠一卮。”

柳宗元的一生历经繁华与孤寂。无论是身处青云之上，还是跌落低谷之中，他始终秉持以利民、安民、便民为己任。“夫为吏者，人役也。”身为官员就应当为人民做事，柳宗元在人生的最后时光里，仍不遗余力地实践自己“吏为人役”的思想。2013年1月，柳侯祠被命名为第一批广西廉政教育基地。

李翱：治桂善政恤民

李翱字习之，凉武昭王之后。……五年，出为桂州刺史、御史中丞，充桂管都防御使。七年，改授潭州刺史、湖南观察使。八年，征为刑部侍郎。九年，转户部侍郎。七月，检校户部尚书、襄州刺史，充山南东道节度使。会昌中，卒于镇，谥曰文。

——刘昫等《旧唐书》卷一百六十《李翱传》

李翱（772—836年），字习之，陇西成纪（今甘肃静宁西南）人，一说为赵郡（今河北赵县）人，唐贞元十四年（798年）登进士第，大和初年累官谏议大夫、知制诰，拜中书舍人，不久为郑州刺史。唐大和五年（831年），他为桂州刺史、御史中丞，充桂管都防御使。李翱仕宦广西期间，注重妥善处理民族纠纷，团结民族首领，社会较为安定。

博学崇儒，文风创新

李翱自幼便以“勤于儒学，博雅好古，为文尚气质”为志，早年追随古文家梁肃，后与韩愈相交，相互勉励，形成了亦师亦友的深厚情谊，成为古文运动的重要支柱。

作为儒家学派的杰出代表，李翱在思想上崇儒反佛，但亦能兼收并蓄，吸纳佛学之精髓，提出“复性”之主张，对宋代新儒学的兴起与发展产生了深远影响。在文学领域，他主张“文以载道”，强调文、理、义三者并重，提出“义深则意远，意远则理辩，理辩则气直，气直则辞盛，辞盛则文工”的文学理念。他积极投身文学创作，尤其擅长赋文和碑传，其代表作如《答韩侍郎书》《高愍（mǐn）女碑》《杨烈妇传》等，以自然、朴实、重实事、少虚浮的风格，受到后世的高度推崇。宋濂更是赞誉他“识高志伟不在退之下”。

李翱以散文创作著称，文学创作并不拘泥于传统形式。他一贯强调“创意造言，皆不相师”，作品题材和文风常常出人意料。例如，他对杂传文学有所创新，所创作的《何首乌录》采用寓言笔法，虚构出村人何首乌采得神药的故事，并多被后世医药文献所引用；而《五木经》则详细记载了樗（chū）蒲古戏的形制和玩法，不仅是一篇优秀的说明文，更成为玩具史的重要资料。

此外，还有一个广为流传的故事。相传李翱任朗州刺史时曾拜访玄觉禅师，并留下了著名的偈语：“炼得身形似鹤形，千株松下两函经。我来问道无余说，云在青天水在瓶。”

政通人和，泽润千秋

在桂州任职期间，李翱展现了深厚的政治智慧和卓越的治理能力。他深知，作为一方官员，首要之务便是安抚民心，稳定社会秩序。因此，他上任伊始，便深入民间，了解百姓疾苦，倾听他们的声音。

李翱注意到，由于历史原因和地理环境的影响，桂州地区民族众多，各民族之间时有冲突。为了化解这些冲突，他采取了一系列措施。他亲自与各民族首领会谈，向他们传达朝廷的政策和意图，同时听取他们的意见和建议。他鼓励各民族之间交流和交融，倡导和谐共处的理念，逐渐消除了各民族之间的隔阂和偏见。

此外，李翱还注重发展经济和文化事业。他鼓励农民开垦荒地，种植粮食和蔬菜，提高农业生产水平。同时，他还兴办学校，培养人才。他注重文化的传承和创新，推动了桂州地区文化的繁荣和发展。

在李翱的治理下，桂州地区的社会秩序逐渐稳定，经济和文化事业也得到了长足的发展，百姓安居乐业，民族和睦相处，呈现出一派和谐繁荣的景象。李翱的善政恤民之举，赢得了百姓的赞誉和尊敬。

唐大和七年（833年），李翱改任湖南观察使。他的善政恤民之举，不仅为桂州地区的发展奠定了坚实的基础，也为后世的治理者树立了榜样。他的事迹被后人传颂，成了一代名臣的佳话。

吕仁：挖南湖治邕水

郁水自蛮境七源州流出，州民常苦之，景云中，司马吕仁引渠分流以杀水势，自是无没溺之害，民乃夹水而居。

——欧阳修、宋祁等《新唐书》卷四十三上《地理七上》

南宁，有“中国绿城”之美誉。邕江穿城而过，城东有一汪碧水，即是南湖。南湖可不是天然的湖泊，它之所以成为湖，与唐代担任邕州司马一职的吕仁疏浚河流以防洪有关。

吕仁浚河为湖

今天的南宁在唐代时称为邕州，郁江穿城而过。郁江是指左江、右江在南宁城西的三江口合流后流至桂平的河段，其中三江口至今横州市六景的河段习惯上被称为邕江。每当汛期，左右两江的洪水集中流向南宁，就会导致郁江水量暴涨，时常会倒灌入邕州城的茅桥江内，导致茅桥江下游的支流邕溪、竹溪频遭水患，两岸的农田、屋舍常常被倒灌的洪水淹没，百姓苦不堪言。

唐朝景云年间，吕仁任邕州司马。吕仁是哪里人，其生卒年月均无史料记载。由于百姓经常遭受洪水之患，吕仁决心治理此患。因此，吕仁走街串巷，与百姓促膝长谈，耐心倾听他们的心声；虚心向当地老人请教，从老人们口中得知了茅桥江数十年来的基本情况；还向有经验的工匠学习，与他们一同探讨治理茅桥江的最佳方案。

为了更清晰地认识茅桥江，吕仁走完整条茅桥江，从源头到下游，每一处都留下了他的足迹。他仔细查看河流的走向、分析地势的高低，努力寻找治理的突破口。经过无数个日夜的

广西南宁南湖现状

走访，吕仁终于找到了一个治理茅桥江的可行方案——引渠分流，浚渠成湖。也就是将邕溪扩大成泄洪的湖区并围起堤坝，同时修筑明渠将洪水分流至竹溪，免除邕溪南段洪水泛滥困苦。这个方案不仅能够有效缓解洪水的压力，还能为百姓带来灌溉水源。吕仁为此高兴不已，立即上书朝廷，请求拨款修建堤坝和疏通河道。经过不懈的努力，朝廷终于批准了吕仁的请求。

在吕仁的指挥下，邕州城百姓热火朝天地展开了治理茅桥江的工程。吕仁亲自挑选了一批青壮年和技艺精湛的工匠，组建了一支队伍，在茅桥江两侧挖渠分流、筑堤防洪，将原本湍急的河水汇聚成一片宁静的湖泊。自此，茅桥江与郁水分开，从上游奔腾而下的郁水不再进入茅桥江，而是汇入百姓挖掘的渠道中向西而去。

自此，邕州告别了严重的洪涝灾害，百姓们得以在茅桥江两侧生活居住，保障了两岸农业生产的正常开展。

邕州百姓塑像敬吕仁

随着水利兴修和灌溉技术的提升，唐代邕州的农业不断发展，粮食产量不断增加。到唐长庆二年（822年），邕州经略使的衣粮税均能自收自给。后来，吕仁所浚的邕溪淤积为湖。彼时邕州城边有两个大湖，北边的称“北湖”，南边的称“南湖”。时至今日，北湖早已成为平地，仅地名使用至今。1956年，南宁市人民委员会动员市民疏浚邕溪旧河道并筑堤截流，将邕溪改道引入，形成人工湖。经过多年的发展，1973年7月，南宁市革命委员会将该湖命名为“南湖公园”，南湖公园成为市民休闲纳凉健身运动的好去处。

如今我们看到的南湖，就是吕仁治理茅桥江时留下的痕迹，它见证了吕仁的智慧，见证了邕州百姓的团结。作为南宁

广西南宁南湖公园里的吕仁塑像

市的一个重要地标，南湖吸引着四面八方的游客前来观赏。游客们沿湖漫步，可以看到吕仁的雕像屹立在湖畔东岸，他手持耒耜（lěi sì），目光深邃，眺望着碧波荡漾的南湖，默默地守护着这片美丽的土地。

李渤和鱼孟威浚灵渠

桂有漓水，出海阳山，世言秦命史禄伐粤，凿为漕，马援讨徵侧，复治以通馈；后为江水溃毁，渠遂厥浅，每转饷，役数十户济一艘。渤酾浚旧道，鄣泄有宜，舟楫利焉。

——欧阳修、宋祁等《新唐书》卷一百一十八《李渤传》

灵渠始凿于秦朝，历朝多次疏浚。其中唐代的李渤、鱼孟威两次重修灵渠，功在当代，利在千秋。

李渤疏渠利舟楫

李渤，字浚之，祖籍陇西成纪（今甘肃静宁西南），因对家乡有深厚的情感，他自称“成纪县子”。之后，他迁居至河南洛阳，曾在嵩山少室山中隐居，专心致志于苦读，汲取知识，并自号“少室山人”。唐元和初年，李渤开始出仕，但因个性耿直，得罪权贵而仕途多次反复。唐敬宗即位后，他因上书营救崔发而得罪了宦官集团，再次被贬至桂州，担任刺史及桂管都防御观察使等职。

唐敬宗宝历元年（825年），李渤到达桂州。他在入桂州时就是通过灵渠而来的，深知灵渠对于当地的重要性。灵渠的现状让他深感震撼：因年久失修，灵渠陡防尽坏，江流且溃，渠道遂浅，使得舟船通行变得极为艰难。为了保障航运的畅通，官方不得不强制征调大量民夫，给百姓带来了沉重的负担，使得田园荒芜，民生凋敝，百姓们纷纷逃离家园。若不及时修缮灵渠，不仅航运受阻，还可能会引发洪涝灾害，给百姓带来更大的灾难。

李渤决心对灵渠进行大规模的维修。他召集了众多工匠和民夫，在秦汉时期所建渠道的基础上进行了精心的疏浚和拓

广西兴安灵渠的铧嘴“湘漓分派”碑

宽。他们清除了渠道中的淤泥和杂物，拓宽了水道，使得水流更加通畅。同时，他还对堤坝进行了改造，巧妙地设计了堤坝的结构，以有效控制旁流，防止洪水泛滥。此外，他还对闸门进行了加固和改良，使其能够更有效地调节水流。

经过数月的艰苦努力，灵渠不仅恢复了旧有的渠道，还进一步提升了通航能力，船只能够更为顺畅地通行，减少了因水流不畅而引发的船只搁浅或倾覆的风险，也极大地增强了灵渠的防洪能力，使得周边地区免受洪涝灾害的侵袭。他还在灵渠上建万里桥，便于通行。此桥现为广西最古老的石拱桥。

李渤的整治工作取得了显著的成效。灵渠的航运功能得到了极大的提升，吸引了大量商船和旅客前来。这不仅促进了当地经济的繁荣，也加强了与其他地区的文化交流。

此外，李渤在桂州履职期间，推动了公共设施的完善与风景名胜的开发。他设立常平仓，稳定粮食市场。在风景名胜开发方面，他尤其注重隐山与南溪山的开发。他在隐山精心兴建了水阁、庆云亭、朝阳亭及夕阳亭等景点。唐敬宗宝历二年（826年），李渤与吴武陵等人共同游览隐山，并将此次共游的经历铭刻于隐山北牖（yǒu）洞的石壁之上，以作纪念。他通过建亭台、种松竹等方式，开发了南溪山，还在南溪山玄岩上镌刻了五言古诗《南溪山诗并序》，描述了南溪山的美景，并详细记载了开发南溪山的经过及自己的喜悦之情。

鱼孟威续浚以安民

虽然李渤曾治理灵渠，提高了其航运能力，但是随着时间的推移，灵渠再次面临堤坝老化、闸门损坏等，导致水道荒废，渠道变浅，通航能力严重下降，甚至需要动用十几名役夫共同牵拉一艘船只，严重阻碍了交通的顺畅。

唐懿宗咸通九年（868年），自黔南调任桂州刺史兼桂管防御观察使的鱼孟威，到桂州后，与下属进行了深入的讨论，探讨是否应继续对灵渠进行修浚。他提出疑问："为何不进行疏浚工作?"下属回应称修筑堤岸将耗费大量资金，会给百姓带来经济压力。当时，官府在迎来送往、招募兵卒、奖赏征夫等方面已承受巨大压力，已无力再承担修渠的额外开销。

然而，鱼孟威坚定地认为，应拯救百姓于水深火热之中，不应因官府资金不足而放弃对灵渠的修缮。因此，他主张通过节约官府的开支，筹集修缮资金，并召集青壮年共同参与渠道的疏浚工作，以解决灵渠的堵塞问题，从而造福于民生。

鉴于灵渠对当地经济的影响，鱼孟威迅速投入了对灵渠水利工程的考察中。对于如何修好灵渠，鱼孟威是有思考的。在整治工作中，他采用了新的建造技术，一改前人常用的"束篆""散材"的做法，而是用巨石堆积，修建了长达二十千米的铧堤。这一举措不仅极大地增强了堤坝的稳固性，还有效提高了其防洪能力。他对闸门进行了重新设计，"其陡门悉用坚木排竖"，大大加固了渠体工程。他将陡门增至十八座，新的闸门不仅更加坚固耐用，而且能够更好地调控水流，确保船只的顺畅通行。此外，鱼孟威还加强了闸门的维护工作，确保其始终处于良好的工作状态。

在一年多的时间里，即从唐懿宗咸通九年（868年）九月至唐懿宗咸通十年（869年）十月，鱼孟威通过动用超过三万名民工，并耗费多方筹措的五百三十余万钱，成功完成了工程。灵渠重焕生机，实现了“浚决碛砾，控引汪洋，防厄既定，渠遂汹涌”的目标。这不仅确保了灵渠的水量充足和通航率的提升，而且有效促进了商贸的繁荣和交通的便捷。由于灵渠恢复了通航能力，不再需要役夫拉船，从而消除了当地的各类劳役负担，民众不再有怨言，社会秩序得以稳定。

唐懿宗咸通十年（869年）竣工时，鱼孟威撰写《桂州重修灵渠记》刻于南渠的飞来石上，正式标志着“灵渠”之名首次载入史册。在完成灵渠修复工程后，鱼孟威获皇帝诏令嘉奖。他谦逊地表示，并无显赫之功，唯愿恪尽职守，以不负百姓之期望。他期许继任者能持续维护此渠，以保障航运通行无阻，并呼吁民众共同爱护此渠，以期渠道长久惠泽民生。

入祀四贤祠

2018年，灵渠入选世界灌溉工程遗产。漫步南渠，在南陡下游，有一座四贤祠，它是为纪念四位凿通和疏通灵渠有功的历史人物而建的。元代黄裳《灵济庙记》记述："兴安灵渠，有史禄始作以通漕，既而汉伏波将军马援继疏之，唐观察使李渤始为铧堤以固渠，作陡门以蓄水，而防御史鱼孟威复增修之。"四位历史人物即秦朝监御史禄、东汉伏波将军马援、唐代桂管观察使李渤、桂州刺史鱼孟威。

此祠始建于何时，史籍有不同的记载，一说是建于元至正十五年（1355年），由时任岭南西道廉访副使也儿吉尼所建。但元代黄裳所写的《灵济庙记》记载，也儿吉尼建祠之时，原来已有四贤祠，只是原祠简陋，也儿吉尼加以改建。唐代的李渤和鱼孟威对灵渠的两次修缮，是首次关于地方官修缮灵渠的历史记载。在李渤和鱼孟威的共同努力下，灵渠得以长期保持其航运功能，为唐代的经济繁荣和文化交流做出了重要贡献。他们入祀祠内，足见其贡献之大。

广西兴安四贤祠，右起依次为李渤、史禄、马援、鱼孟威塑像

随着历史的演进，灵渠逐渐成为岭南地区与中原文化交流的桥梁，也成为连接南北的重要交通要道，亦是海上丝绸之路的重要组成部分。历朝历代的官员们，都深知灵渠对于地方经济和文化交流的重要性，为此投入大量人力、物力维护。明清两代，四贤祠多次重修，并保存至今。修渠四贤的故事被后人传颂至今，成为历史上一段佳话。

李昌巎：创办桂林首所府学

戊戌，以辰锦观察使李昌巎为桂州刺史、桂管防御观察使。

——刘昫等《旧唐书》卷十一《代宗李豫》

李昌巙（kuí），生卒年不详，陇西（今甘肃境内）人，为李唐宗室成员之一。唐大历八年（773年），李昌巙自辰锦观察使转任桂州刺史，兼任桂管防御观察使及御史中丞之职。他在桂州任职期间，平定西原僚人反唐，并大力倡导文化教育，重修舜庙，建学宫，修独秀石室。李昌巙对广西贡献卓越，人们赞誉他“忠义特达，有文才武略”。

边疆召唤，平定叛乱

唐大历八年（773年）八月，李昌巙被调至偏远的桂州。初到桂州，李昌巙便被这里的山水之美所震撼，但也感受到边疆地区的动荡与不安。这一时期，西原州（今广西崇左大新一带）的少数民族首领潘长安，因不满唐朝的统治，起兵反唐。一时间，战火连天，百姓流离失所。唐大历十二年（777年），唐代宗命李昌巙督兵前往西原州平乱。

李昌巙领命后，立即着手准备。他在分析了形势后，决定采取分兵合击、各个击破的策略。经过连日激战，李昌巙带领军队取得了胜利，这不仅彰显了他的军事才能，也让他在华南边陲声名鹊起。平乱后，李昌巙赐给俘虏耕牛，让他们回到家乡重新生活。这极大地震慑了当时其他准备造反的部族，他们纷纷“俯首请罪，愿为臣妾”。

唐代宗为了嘉奖李昌巙的功绩，特命上柱国韩云卿撰写

广西桂林漓江西岸的铁封山

《平蛮颂》。之后，这篇颂文被刻于桂州的镇南峰（今桂林铁封山）上，成为后人铭记这段历史的重要见证。

文治武功，教化一方

平乱后，李昌巙在闲暇之余游览桂州山水时，发现桂州山清水秀，但这里的文化教育仍较滞后，他想把桂州变成人杰地灵之地。于是，他开始在桂州地区大力推行文化教育事业，教化百姓，以怀柔之策促进桂州地区的长治久安。

唐代李昌巙《舜庙碑》拓片

在漓江之滨，有一座虞山，也叫舜山，与江对岸的尧山遥遥相望。魏晋南北朝时，虞山脚下有用来祭祀圣贤的舜庙，后因为战乱，祭祀活动被中断了。李昌巙认为舜庙是传承文化、弘扬道德的重要场所。于是，他下令重建舜庙，并亲自组织祭祀活动，力图用圣贤遗风教化当地百姓。同时，他还于唐建中元年（780年）在虞山刻下了《舜庙碑》，以铭记这一盛事，并寄托了他对边疆地区文化繁荣发展的美好愿景。

李昌巙还在独秀峰下始创学宫，这是桂林首所官办学府。他亲自聘请名师授课，广开才路，吸引了大批青年才俊前来求学。渐渐地，桂州文化教育事业得到发展，成为岭南地区文人荟萃之地。在此后的唐朝科举考试中，出现了桂州第一位进士——曹邺、广西第一位状元——赵观文。学宫的建立，不仅为当地培养了大量人才，还极大地推动了桂林乃至整个岭南地区的文化教育事业的发展。

独秀峰下有一读书岩，这里曾是南朝宋时期，始安太守颜延之先生静心研读、悟道求知之地。李昌巙不忍这圣贤之地被遗忘在历史长河中，于是他组织整修读书岩，特地邀请著名的文人郑叔齐撰写《独秀山新开石室记》，并刻于岩壁之上。

广西桂林独秀峰石刻上的《独秀山新开石室记》

功成身退，名垂青史

桂州地区在李昌巙的治理下，社会秩序得到了显著的改善，经济文化也呈现出繁荣的景象。他的政绩得到了朝廷的认可，也赢得了当地百姓的尊敬与爱戴。“忠义特达，有文才武略”是对他最好的概括。

李昌巙在桂州的成就有目共睹，唐建中二年（781年），他因功被调任江陵尹兼御史大夫、荆南节度使；四年后，又被任命为京畿、渭南节度使。每到一处，都留下了他勤政爱民、兴文重教的佳话。

元晦诗咏桂林山水

元晦，相国从子，出为御史中丞、桂管观察使，见叠彩山有干越四望，左右回翼，心大乐之，引水穿沼，治亭院，其间晦自命名其小记与题篆似皆出其手。

——陈鸿墀《全唐文纪事》卷八十八

元晦，生卒年不详，唐代文学家。他自幼深受书香家风熏陶，秉承家族文学传统，性格忠诚直率。他才情横溢，因直率性格，人生道路亦多波折。唐敬宗宝历元年（825年），元晦步入仕途。他因不慎谏言，触怒皇帝，被贬至桂州，任桂管观察使。

在桂州任职期间，元晦并未因贬谪而消沉，反而以高昂的热情投入地方建设，致力于修路建亭等基础设施建设，为百姓谋福祉。政务之余，他仍坚持文学创作，为今桂林山水增添了不可估量的文化价值。

直言不讳，不畏权贵

元晦，生于河南洛阳，是大文豪元稹之侄、饶州刺史元洪之子。

唐敬宗宝历元年（825年），元晦凭借着卓越的才华与正直的品格，登贤良方正、能直言极谏科。这不仅是对他学识的认可，更是对他敢于直言、不畏强权的肯定。他曾任谏议大夫，专门负责向皇帝提出宝贵的意见。皇帝欣赏元晦的才华和忠诚，曾亲自下令，让宰相李德裕为元晦撰写《授元晦谏议大夫制》。在这篇制文中，李德裕对元晦的赞誉之情溢于言表。他写道：“每当朝堂之上，群臣肃立，元晦总是不顾个人安危，毅然俯伏在草席上。他擦拭着眼泪，以忠直、诚恳的态度，极力劝谏皇上，言辞恳切，情感真挚。他是一个真正的敢谏之士，一个心系国家、勇于担当的忠臣。”然而，正因元晦提的意见过于尖锐，不慎触怒了龙颜，皇帝一怒之下，将他贬谪至遥远的桂州。

勇赴岭南，造福一方

在唐代，广袤的岭南地区是官员的流放之地。据《新唐书》和《旧唐书》记载，有名有姓且流放之地确凿无疑的官员有二百一十一位，其中有一百三十八人被流放至岭南。唐贞元十九年（803年），韩愈被贬至广东阳山任县令，他的《县斋读书》一诗就代表了唐人对于岭南地区的感受：“南方本多毒，北客恒惧侵。”

岭南之地瘴气弥漫，疾病丛生，更流传着“入岭无归途”的悲歌。唐人对于岭南地区十分畏惧，宁愿不要命也不愿去岭南。唐贞观初年，唐太宗把卢祖尚征召到京城，任命他做交州州牧。然而，卢祖尚坚决推辞。唐太宗怒斥其不遵皇命，把卢祖尚斩首了。

还有人通过行贿而不去岭南的。唐永泰二年（766年），陈少游被任命为桂州刺史、桂管观察使，他倾尽家财，重金贿赂了唐代宗宠信的中官董秀，以求改换任职之地。

在众多流放、宦游桂林的晚唐文人中，元晦是其中比较著名的一位。唐会昌二年（842年），此时的元晦已不再是那个初露锋芒的青年才俊，而是肩负重任的桂管观察使。桂管观察使常驻桂州，不仅担任行政长官之责，还肩负军事长官之职。元晦并未因贬谪而气馁，反而以极大的热情投入地方建设中，修路建亭，为百姓谋福祉。他用智慧与勇气，书写着属于自己的治理篇章，赢得了百姓的敬爱与拥戴。

题刻胜景，流芳百世

在繁忙的政务之余，元晦也未曾放弃对诗文的热爱。桂州的青山绿水，云雾缭绕，激发了他无尽的创作灵感。他漫步于漓江之畔，仰望独秀峰之巍峨，将心中涌动的情感化作了一首首动人的诗篇，流传后世。《全唐诗》虽仅收录其诗两首，但每一首都如同现今桂林的山水一般，意境深远，让人回味无穷。

在桂州期间，元晦不仅频繁游历城北的叠彩山，还对该山进行了诸多修建。他见叠彩、于越、四望三峰耸立，左右回环如翼，心中大为喜悦。于是，他引文入景，凿山道，修水池，种花木，在山间修建了亭台院落，筑有写真院、花药院、八角亭、流杯亭，以及歌台、钓榭、石室、莲池等景观。他还在叠彩山风洞北筑齐云亭一座。后人称他的这些作为是“筑凿之盛”。唐会昌四年（844年），工程完工后，他亲笔书写“叠彩”

广西桂林叠彩山

“于越”“四望”三峰之名，并分别刻于三峰上。此外，元晦还在叠彩山的崖壁上留下了两篇流传千年的短文，一篇是《叠彩山记》，另一篇则是仅有四十三字的《四望山记》。叠彩山之所以得名，元晦在文中阐述：“此山因石纹横布，色彩斑斓，翠绿与缤纷相间，犹如层层叠叠的彩锦。”他亲笔书写此语，并将其刻在叠彩岩口的崖壁上。那篆体的“叠彩山”三字，同样镌刻于叠彩岩口的崖壁上，三字共计高度超过一米，蔚为壮观。而四望山，位于叠彩山的西侧，它与于越山及白鹤、明月两座山峰，共同构成了叠彩山的壮丽景观。元晦在《四望山记》中详细叙述了销忧亭的地理位置及其独特风貌。此文亦被镌刻于四望山东麓的崖壁之上，字体为隶书，更显古朴典雅。

元晦对宝积山也兴趣浓厚。宝积山距现桂林城北两公里，迤逦起伏，似蟠龙状，故又名卧龙山、龙盘岗，与四望山东西对峙。它东西两峰相连，山虽不高，但形势险恶，有“藏龙卧虎”之说。山间有一个深邃的岩洞，叫华景洞。在华景洞口，元晦修建了岩光亭，并作诗楹于岩壁，使之与叠彩山的亭台遥相呼应。此后，一些官员常来这里翘首北望，寄托思乡幽情。一时间，叠彩山成了当地官民同乐的热闹之地。

此外，元晦还写了五言古诗《越亭二十韵》、五言绝句《题宝积山》、七言律诗《除浙东留题桂郡林亭》等，盛赞今桂林山水之美。其《题宝积山》诗曰：“石静如开镜，山高若耸莲。笋竿抽玉管，花蔓缀金钿。”他又尝以漓山（象鼻山）不可与长安骊山并称，改曰“仪山”。

唐会昌五年（845年），元晦转任越州刺史，离桂前，恋恋不舍地留下了诗歌《除浙东留题桂郡林亭》：“紫泥远自金銮降，朱旆翻驰镜水头。陶令风光偏畏夜，子牟衰鬓暗惊秋。西邻月色何时见，南国春光岂再游。莫遣艳歌催客醉，不堪回首翠蛾愁。”一句“西邻月色何时见，南国春光岂再游”道出了其对今桂林山水风光的依依不舍。

六祖慧能隐修广西弘禅宗

慧能者，新州人也，与神秀行业相埒。弘忍卒后，慧能住韶州广果寺……天下乃散传其道，谓神秀为北宗，慧能为南宗。

——刘昫撰《旧唐书》卷一百九十一《方伎·慧能传》

禅宗是中国汉传佛教的一个重要流派，也是佛教中国化的典型代表。禅宗的第六代祖师是慧能（638—713年），他不仅推动了佛教的中国化，还让佛教更加贴近普通百姓的生活。慧能对中国佛教和禅宗的发展影响深远，也让禅宗文化成为中华传统文化中不可或缺的一部分。作为中国佛教禅宗南宗的创始人，慧能的一生颇具传奇色彩。他在湖北黄梅东山寺接过五祖衣钵后，曾经隐匿修行十五年，其中曾有一段时间是在广西象州、永福两县修行，传播佛法，留下了许多脍炙人口的传说。由此，广西成为禅宗南宗的发源地之一，对后来佛教在广西的传播产生了重要影响。

顿悟作偈，密接衣钵

唐代禅宗六祖慧能与神秀的故事，是禅宗历史上最著名的公案之一，充满了智慧的光芒，体现了禅宗南北宗的分歧与慧能的顿悟思想。

禅宗第五代祖师五祖弘忍（602—675年）在湖北黄梅东山寺传法，门下弟子众多。大弟子神秀（约606—706年）学问渊博，深受众僧敬重，被认为是弘忍的接班人。当时，慧能是寺中的一名普通行者，负责舂米等杂务，并未正式出家。弘忍为选拔接班人，让弟子们各作一偈，以考察他们的悟性。神秀作偈："身是菩提树，心如明镜台。时时勤拂拭，勿使惹尘埃。"

这首偈子表达了神秀的渐修思想，强调通过不断修行来保持心灵的清净。慧能的偈子是："菩提本无树，明镜亦非台。本来无一物，何处惹尘埃？"他主张顿悟，强调心性本净，无须外求，一切烦恼皆因执着而生。弘忍对慧能的偈子大加赞赏，认为他已彻悟，便深夜召见慧能，秘密传授《金刚经》要义，并将达摩祖师传下的袈裟和钵盂交给他，命他南下隐修。慧能南下后，隐居岭南，开创了禅宗南宗，主张"顿悟成佛"。慧能的顿悟思想奠定了禅宗南宗的基础，使其成为中国佛教的主流。这一故事至今仍被广泛传颂。

隐居象州，岩内苦修

慧能接过五祖弘忍的衣钵后，南下到达广东曹溪，后又到各地隐居十几年。他曾到过广西的多个地方，象州六祖岩是他的隐修之地。

南宋时期的地理总志《舆地纪胜》以及清代《象州旧志》均记载：象州西山有六祖岩，岩前石壁刻有"六祖岩"三字，岩中有六祖圣像。《舆地纪胜》还有卢道者（六祖慧能俗姓卢）在阳寿县（今广西象州）山中结庵，"修行勤苦，虎为之守庵"的记载。这些文献进一步证明了六祖岩的悠久历史和文化价值。

象州的六祖岩位于广西象州县象州镇鸡沙村黄皮沟村后面

广西象州六祖岩中的六祖圣像

的西山半山腰，距离县城约两公里。这里地势开阔，岩口面对着象州县城和柳江，景色宜人。岩内保存着唐、宋、明、清四个朝代的石刻作品，共有十处。其中最引人注目的是北宋文人谭掞（shàn）在“元丰甲子”（1084年）题写的篆书“六祖岩”三字。岩内的《重塑六祖圣像碑记》记录了六祖岩的来历：“象州有岩，曰六祖岩。中有圣像，昔人所塑也。”“郡人云：昔六祖南庇藏于此。信祀之也。”碑文提到，六祖慧能曾隐居于此修行。当地民众为了纪念他，在岩中立了他的圣像，世代供奉，表达对这位禅宗大师的敬仰。明代正德年间，象州知州张唐辅曾在岩中作诗，赞扬六祖慧能开创中国南宗佛教的卓越贡献。

2003年，六祖岩摩崖石刻成为来宾市级文物保护单位。2015年，广西学界对六祖岩进行了实地考察，认为象州六祖岩与六祖慧能大师的行迹有关，是十分重要的文物古迹。

六祖禅踪，显迹永福

在广西隐修期间，六祖慧能的足迹除了现于象州外，还显迹永福县。

今永福县永安乡太和村狮子山双瑞岩，据说是六祖慧能隐修之地。上方岩壁的“双瑞岩”三字石刻，为南宋绍兴六年（1136年）县令黄昌世所书。洞中右侧有钟乳石，状似人跪坐，一旁岩壁刻有榜书“六祖法身”四字，落款为：“宋绍兴六年丙辰秋月署静江古县黄昌世镌。”岩内另有多处碑刻，包括南宋县令黄昌世所撰双瑞岩碑记，其中清代的碑刻最多，有雍正举人刘新翰咏六祖诗碑、道光年间永宁州（今广西永福）知州李崇发“宿双瑞岩太和寺”诗碑、道光年间解元余绍先所作“六祖禅踪”词碑、清代重修太和寺碑等。

从文献来看，雍正《广西通志》卷十三记载此岩“乃六祖修炼之所。环山拱伏，岩内直入深数十丈，有石佛像为石乳凝结”，句中直接指明此岩洞是六祖曾经修炼的地方。光绪《永宁州志》亦有类似的记载，并录有众多双瑞岩六祖遗迹的诗词。清嘉庆年间，古田县（永福旧县名）评出“古田八景”，“六祖禅踪”为其中一景。双瑞岩内现存的一块清代《重修太和寺碑记》残碑，称“六祖飞身于此，因营置寺而栖焉，闻六祖衣钵得之五祖”，可知双瑞岩前的太和寺是六祖慧能隐修之所。另有一块刻藏于永福县文物管理所的清嘉庆年间的残碑，末尾有“无负祖师度世之宏愿，不亦洞天福地”文字，加之碑文后附刻有本州清代举人、乾隆年间任江阴县令的刘新翰作的《题六祖禅踪》诗。综合以上史料可推测六祖慧能在双瑞岩太和寺隐修，当是有迹可循。

六祖慧能创立禅宗南宗，显迹的广西象州县六祖岩与永福县双瑞岩，显得更为珍贵。后人在永福双瑞岩前六祖浣衣处为纪念六祖而取名的“振衣池”“佛衣石”等，以纪念六祖慧能。

鉴真旅桂与佛教传播

天宝末，扬州僧鉴真，始往倭国，大演释教，经黑海蛇山，其徒号过海和尚。

——李肇《唐国史补》

在如今桂林市著名的旅游地标性景点象鼻山西侧，有一座寺庙叫开元寺，原称缘化寺，是桂林较早的佛寺。唐代鉴真大和尚第五次东渡失败，由海南岛经雷州取道今桂林，曾住在开元寺达一年之久。在此，他每天讲经说法，推动了广西佛教的传播。

鉴真东渡，旅桂传法

鉴真（688—763年），本姓淳于，扬州江阳（今江苏扬州）人，唐代高僧。他十四岁出家，二十二岁受具足戒，云游洛阳、长安等地，遍研三藏，尤精律藏，后住扬州大明寺。鉴真四十五岁之际，因其深厚的佛学造诣和高尚的人格魅力而备受尊崇，其声名远播四海，成为备受敬仰的大德高僧。

当时，日本正处于唐朝文化的影响下，为弘扬佛教文化，日本积极引进唐朝的佛教文化。不过，鉴于日本佛教戒律尚未完善，日本留学僧荣叡（ruì）和普照特地前来扬州，恳请鉴真东渡日本，传授佛学及戒律。

唐天宝元载（742年），鉴真接受荣叡和普照的请求，东渡日本，传播佛教教义与戒律。然而，此行程并非一帆风顺。在首次准备出海之际，鉴真遭遇随行僧人的背叛，密告其计划，导致船只被官府没收，首次东渡宣告失败。然而，鉴真并未因此气馁，随后又进行了多次尝试，但均未能成功。

唐天宝七载（748年），鉴真第五次扬帆东进，踏上前往日本的征途。他在遭遇汹涌澎湃的巨浪后，漂流至海南岛南端的崖县（今海南三亚）。在这片陌生的土地上，鉴真和同伴们水土不服，身体每况愈下，又因无法直接返回故土扬州，只得改变原定路线，前往今桂林。

当时的桂林是岭南西道桂管经略治所的始安郡城。始安郡都督冯古璞，是 位虔诚的佛教信徒。在他的倡导和影响下，当地的官吏和普通百姓也开始信奉佛教。鉴真抵达的那一天，冯古璞率领官吏和城中民众等，倾城而出，以最高的礼节欢迎这位来自远方的高僧。鉴真被当地人的热情和真诚所感动，便欣然接受了他们的邀请，暂时留居开元寺。

广西桂林开元寺鉴真刻像

在开元寺长达一年的时光里，鉴真除主持佛事外，常讲经弘法，与众僧、居士宣讲《金刚经》《华严经》《法华经》等，城中的官员显贵和平民百姓络绎不绝地前来拜访，倾听他讲解佛经大义，听经者每每达千余人。他还施药治病，解除百姓疾苦。寺内的香火也因此而盛极一时。宋人张釜写有《游山七绝·慈氏阁》：“千年佛阁与云齐，足力穷时目力移。堪笑痴儿夸壮丽，那知芥子纳须弥。”正是有感于此而作。

唐天宝十二载（753年），日本派遣了遣唐使，向唐玄宗提出了诚挚的请求，希望鉴真能前往日本，为当地的佛教信徒传授戒律。同年十一月，鉴真及其二十余名弟子搭乘着日本遣唐使的航船，踏上了第六次东渡的征程。第二年，鉴真一行终于成功抵达了日本九州萨摩秋妻屋浦（今九州南部鹿儿岛），开始了他在日本长达十年的弘法之旅。

鉴真东渡日本的故事，是一段跨越海洋、连接两国的传奇。他以坚定的信念，成功地将唐朝的佛教文化及建筑文化等瑰宝传播至日本，为中日两国的文化交流留下了不朽的篇章。

佛教传播，佛缘深厚

在汉代，佛教已传入广西，并得到传播。据《三国志·吴书·刘繇太史慈士燮传》记载，士燮在任交趾太守期间，出入均要敲响钟磬，还有“胡人夹毂焚烧香者常有数十”。这些焚香的“胡人”，便包括了来自南亚印度的佛教信徒。在东汉末年，苍梧郡的牟子因避难前往交趾，亲身接触到佛教教义，返回家乡后隐居，潜心钻研佛道，终成一代佛学家。

隋唐时期，政治稳定、经济繁荣及文化蓬勃发展，为佛教的传播提供了得天独厚的条件。佛教在广西也得到了推崇，促进了广西与周边地区的交流。许多高僧来到广西，与当地僧侣进行佛学交流，推动了广西佛教文化的繁荣发展。

在唐代，除了鉴真之外，还有许多高僧为佛教在广西的传播做出了重要贡献。唐武则天时，禅宗六祖慧能亲临永宁州讲经说法，将禅宗修行方法传入今桂林。禅宗作为唐代佛教的主要派别之一，其“直指人心，见性成佛”的教义深受信众喜爱。众多禅宗门徒纷纷前来广西宣扬教义，建立寺庙，吸引信众前来参禅悟道。唐初贞观年间，容州城内经略台左侧的绣江河畔建有开元寺（与前桂林开元寺同名），是广西最古老的寺院之一。唐贞元十二年（796年），时任容州刺史兼御史中丞房孺复为开元寺敬铸铜钟一尊，重三千五百斤。此钟现存于容县

广西容县博物馆里的唐开元寺景子铜钟

博物馆内，是唐代佛教在广西传播的明证。

唐至德元载（756年），全真（又称寂照大师）抵达全州，创建湘山寺，弘扬净土法门，成为湘山寺的开山主持。此后，桂北地区兴建了多处寿佛寺庵，香火旺盛。桂林七星岩前的寿佛寺更是规模宏大，设有无量佛像，长年接受信众供奉，成为南方佛教活动的重要场所。净土宗在广西的传播后来居上，成为唐代以后广西佛教的又一大流派。净土宗与禅宗南派的共通之处，就是无须文字背经，只要心中有佛，反复诵行即可。这一思想成为佛教大众化的重要法门，对广西民众的佛教信仰产生了重大影响。

唐代，佛教文化的繁荣不仅体现在寺庙的建设上，还体现在佛教艺术的创作上。在桂林地区，僧人留下了丰富的佛教摩崖石刻、造像和石塔等文物，它们不仅见证了佛教在广西的传播历程，还展现了唐代佛教艺术的精湛技艺。叠彩山东麓木龙古渡的石塔和开元寺的舍利塔均为唐代所建，历经千年风雨仍保存完好。尤其是木龙洞石塔，其精美的莲花浮雕和造型生动的佛像，具有较高的艺术价值，现已成为广西重点文物保护单位之一。这些文物为后人研究佛教在广西的传播提供了珍贵的实物资料。

李商隐善政治理平乐

李商隐字义山，怀州河内人。……王茂元镇河阳，爱其才，表掌书记，以子妻之，得侍御史。茂元善李德裕，而牛、李党人蚩谪商隐，以为诡薄无行，共排笮之。茂元死，来游京师，久不调，更依桂管观察使郑亚府为判官。亚谪循州，商隐从之，凡三年乃归。

——欧阳修、宋祁等《新唐书》卷二百三《文艺下·李商隐》

提及晚唐诗坛，李商隐独树一帜。他品德高尚，不随便附和，与杜牧并称“小李杜”，又与温庭筠并称“温李”。李商隐的诗作构思精密，情致婉曲，意旨深邃，具有独特风格。在《唐诗三百首》中，他的作品数量位列第四，足见其在诗坛的崇高地位。唐宣宗大中元年（847年），李商隐受到郑亚的邀请前往桂州任职，在昭州即现在的平乐主政。其间，他改革吏治，创作诗篇，留下诸多佳作。

治昭州，革吏治

李商隐（813—858年），字义山，号玉谿生，怀州河内（今河南沁阳）人。年幼时父逝，他遂以舂米、抄书为生计，好学不倦，十几岁即以文章名扬怀州，深受牛党（以牛僧孺为首的朋党）重臣令狐楚的青睐，被招入幕府。二十多岁时，他在令狐楚的举荐下高中进士。李商隐怀有一颗读书济世、救国救民之心。面对晚唐政局动荡、藩镇割据、战乱不断的局面，李商隐在《行次西郊作一百韵》中深刻揭露了朝堂腐败、百姓流离的悲惨景象，并表达了“我愿为此事，君前剖心肝”的坚定志向。

然而，李商隐的人生轨迹因婚姻而发生了转折。李商隐入王茂元（李党人物，李党即以李德裕为首的朋党）幕府，因才华出众被王茂元赏识，并将女儿许配于他。这一举动在当时引起了轩然大波，因李商隐原先依附于令狐楚，此举被视为背弃旧主。846年，唐宣宗即位后，李德裕的学生郑亚被贬至岭南。唐宣宗大中元年（847年），桂管观察使郑亚邀请李商隐前往桂州，李商隐欣然接受。在远离朝堂纷争的山水间，李商隐的心灵得以放松。

《桂林》一诗便是李商隐在此时所作："城窄山将压，江宽地共浮。东南通绝域，西北有高楼。神护青枫岸，龙移白石湫。殊乡竟何祷，箫鼓不曾休。"全诗以白描手法描绘了今桂林的山水胜景和风俗人情，同时也寄寓了李商隐的异乡愁绪。

在唐朝官场中，科举之外，亦有通过成为显赫官员幕僚以获举荐晋升的途径，李商隐亦曾抱有此志。李商隐随郑亚到桂州后，郑亚对李商隐委以重任，令其代理昭州郡守。昭州地理位置重要，为桂北之要地。李商隐首次执掌一郡之政，乃其施展抱负之良机。在沿江而下，途经阳

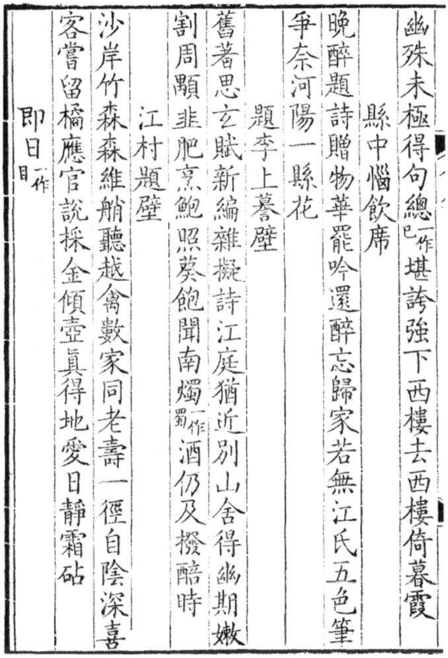
幽殊未極得句總（一作已）堪誇強下西樓去西樓倚暮霞
縣中惱飲席
晚醉題詩贈物華罷吟還醉忘歸家若無江氏五色筆
爭奈河陽一縣花
題李上謩壁
舊著思玄賦新編雜擬詩江庭猶近別山舍得幽期嫩
割周顒韭肥烹鮑照葵飽聞南燭（一作蜀）酒仍及撥醅時
江村題壁
沙岸竹森森維艄聽越禽數家同老壽一徑自陰深喜
客嘗留橘應官說採金傾壺真得地愛日靜霜砧
即日（一作日）

《全唐诗》中收录的《江村题壁》

朔、进入平乐之际，李商隐挥毫泼墨，创作了《江村题壁》。

昭州，作为矿产资源的产地，理应百姓富足，然而李商隐上任后发现此地吏治腐败，百姓面临横征暴敛，致使矿业荒废，田地荒芜，百姓生活困顿。其《昭州》一诗，仅用四十个字便深刻揭示了这一荒凉穷困的景象：“桂水春犹早，昭川日正西。虎当官道斗，猿上驿楼啼。绳烂金沙井，松干乳洞梯。乡音殊可骇，仍有醉如泥。”“虎当官道斗，猿上驿楼啼”这两句诗尤为生动地描绘了此地人迹罕至的荒凉景象。

李商隐在昭州期间，深入各地了解民生民情，制定相应施政措施，首先发展经济，让百姓得以休养生息，并实施减租、减息政策，以减轻百姓的负担。

《昭州》石刻图

正当李商隐努力改革吏治、发展昭州之际，命运却给他带来了重大打击。郑亚因故被贬至循州（今广东惠州），失去桂管观察使的官职，李商隐的代昭州郡守职位亦随之不保。唐大中二年（848年）二月，李商隐黯然离开昭州，此后辗转于长安、徐州、成都等地，担任节度使幕僚等官职。其诗风亦因此变得更为哀愁迷惘、凄美迷离，创作出“春蚕到死丝方尽，蜡炬成灰泪始干”“此情可待成追忆，只是当时已惘然”等千古绝句。人们为纪念李商隐，在今平乐修建了一座公园，将他在昭州时期创作的诗篇镌刻于墙上，以供后人追忆这一段诗愁往事。

诗意敬神，文记桂俗

在诗歌的绚烂之外，李商隐的笔触亦深入探寻了广西民间信仰之精髓。自唐代伊始，广西的城隍信仰便在这片沃土上蓬勃发展。尤其在唐宣宗大中元年（847年）至唐宣宗大中二年（848年）的短暂两年内，今桂林、永福、灵川、荔浦、兴安等地，皆建立了城隍庙。李商隐对昭州的环境与民风民俗皆有深入了解，其《异俗二首》对此有详尽描绘：“户尽悬秦网，家多事越巫。未曾容獭祭，只是纵猪都。点对连鳌饵，搜求缚虎符。贾生兼事鬼，不信有洪炉。”

《祭桂州城隍神祝文》乃李商隐匠心独运之作，此文以深沉的敬意与虔诚的祈愿，向城隍神表达了崇敬。李商隐写道：“谨以旨酒庶羞之奠，祭于城隍之神，浚洫崇墉，所以固吾圉；春祈秋报，所以辅农功。”此外，李商隐还创作了《赛灵川县城隍神文》，进一步颂扬城隍神：“高垒深沟，用资固护；兴云渫雨，谅俟威灵。惟神能感至诚，将成大稔。逐清泠之耕父，不使扬光；回沮泽之蟠龙，皆令洒润。式陈微报，愿鉴惟馨。”透过这两篇祝文，我们看到了李商隐对城隍神的虔诚敬意，也看到了他对民间信仰的深沉情感与人文关怀。

广西“二曹”享誉诗坛

《曹唐诗》，三卷，字尧宾。

曹邺，诗三卷，字邺之，大中进士第，洋州刺史。

——欧阳修、宋祁等《新唐书》卷六十《艺文四》

在中国古代的文坛上，唐诗宋词享誉千古。唐朝时的广西有两位本土诗人享誉诗坛，即临桂人曹唐和阳朔人曹邺（yè），被誉为“二曹”。曹唐擅长游仙诗创作，曹邺则以现实主义的诗歌作品而独树一帜。

曹唐游仙诗，诗韵超然

曹唐，生卒年不详，字尧宾，今广西桂林人，是唐朝杰出的文学家和诗人。他早年深受道教思想影响，对道教文化有着深厚的理解和感悟，这种影响也体现在他的文学创作中。曹唐不仅擅长文学创作，更以其独特的艺术风格和深邃的思想内涵，在唐朝文学史上留下了浓墨重彩的一笔。

游仙诗，源于先秦，汉代时以遨游仙境为主题的游仙诗不断发展，最兴盛的时期是魏晋至唐朝时期，代表诗人有东晋的郭璞和晚唐的曹唐。曹唐擅长写游仙诗，他不用五古的体裁，改用七律和七绝，是写下最多游仙诗的唐代诗人，有《大游仙诗》十八首、《小游仙诗》九十八首。他常以神仙传说为题材，诗风遣词鲜明亮丽，善于改造神话情节，表现神话中人的心境。他写的《大游仙诗》叙事精简，《小游仙诗》则寄寓了他对神仙传说的感慨，如“长房自贵解飞翔，五色云中独闭门。看却桑田欲成海，不知还往几人存”。此诗引用《神仙传》中费长房的故事，表达对沧海桑田、人事全非的感慨。

曹唐以清流自居，志向淡泊。他追慕古代仙人的高洁情怀，对世俗的繁华和喧嚣保持着一种超然的态度。在他的诗歌创作中，常常描绘出一种超脱尘世、追求心灵自由的境界。《南游》是他创作的一首七言律诗：“尽兴南游卒未回，水工舟子不须催。政思碧树关心句，难放红螺蘸甲杯。涨海潮生阴火灭，苍梧风暖瘴云开。芦花寂寂月如练，何处笛声江上来。”这首诗以极简的方式将苍梧地区的温暖气候及江上月夜的场景描绘得栩栩如生。

曹唐的代表作《大游仙诗》《小游仙诗》等作品，不仅记录了他人生中的悲欢离合，还展现了他对道教文化的深刻理解和感悟。这些诗歌以清新脱俗的笔触，描绘了一个个瑰丽奇幻的仙境世界，让读者仿佛置身于一个充满神秘色彩的世界。曹唐与罗隐同代，两位才子的才情不相伯仲，常常在一起切磋文艺。在与罗隐的一次会面中，两人共论近作。罗隐对曹唐的游仙诗给予了高度评价，但也指出其中一句“洞里有天春寂寂，人间无路月茫茫”略显诡异。曹唐则笑言回应，以罗隐的《牡丹花》中的一句“若教解语应倾国，任是无情也动人”为喻，说明艺术创作中需要有一种独特的审美追求和表达方式。这一番对话不仅展现了两人的才情横溢，更体现了他们在文学创作中的独特见解和追求。

曹唐凭借过人的才学和出众的文学造诣，在参加科举考试后，开启了他的仕途生涯。在唐咸通年间，他担任了使府从事，虽然官职不高，但他始终保持着对文学的热爱和追求。他创作了《病马五首》诗篇，其三："不剪焦毛鬣半翻，何人别是古龙孙。霜侵病骨无骄气，土蚀骢花见卧痕。未喷断云归汉苑，曾追轻练过吴门。一朝千里心犹在，争肯潜忘秣饲恩。"在诗中，曹唐通过对病马的细致描绘，寄托了自己对仕途坎坷的感慨与人生无常的无奈，使得整首诗充满了深沉的情感与强烈的感染力。

因游仙诗而闻名的曹唐，去世的情景也具有传奇色彩。史书记载，曹唐曾在梦中遇到一位仙女，她身着莺服花冠，衣袂飘飘如烟雾，倚树吟诗，那悠扬的歌声与曼妙的舞姿仿佛要将曹唐引入仙境。曹唐在梦中与仙女相遇，颇感奇异与欣喜。然而，当他醒来后，却发现这只是一场空幻的梦。次日，他突然患上重病并离世。

尽管曹唐的仕途并不顺利，但他创作了许多脍炙人口的诗篇，留下的诗集一卷流传至今。

曹邺以诗呼民疾苦

曹邺，生卒年不详，广西阳朔人。他的现实主义题材的诗歌作品，开创了八桂诗风。

曹邺自幼聪慧过人，勤勉好学，对诗词歌赋有着浓厚的兴趣和独到的见解。然而，曹邺的科举之路却充满了坎坷。他流寓长安近十年，屡试不第，历经了无数的磨难，尝作四怨、三

广西桂林石刻上的曹邺诗

愁、五情诗，以寄怀才不遇之慨。他始终坚持诗词创作，终因学识获中书舍人韦悫(què)赏识，于唐大中四年（850年）登进士。为了表达自己的喜悦和感激之情，曹邺随即创作了《寄阳朔友人》一诗。诗中写道："桂林须产千株桂，未解当天影日开。我到月中收得种，为君移向故园栽。"这首诗不仅表达了曹邺对家乡的深深眷恋和热爱，更展现了他对未来的美好期许和坚定信念。

之后，曹邺出任天平军节度使幕府掌书记，历太常博士，咸通末年，他出任洋州刺史，官至祠部郎中。在唐懿宗统治时期，曹邺担任太常博士之职，专责五礼（吉、嘉、宾、军、凶）仪式的规范与调整，并负责王公大臣谥号的评议。唐懿宗咸通二年（861年），曾任宣宗、懿宗两朝宰相的白敏中（白居易之堂弟）辞世，曹邺与多位同僚共同商讨其谥号。曹邺公正审视白敏中的功过，发现其存在品行问题，率先提出应给予白敏中"丑"之谥号，此举震惊在场众人。此后，懿宗朝宰相高璩去世，曹邺依据《谥法》的规定，上书皇帝建议给予高璩"刺"之谥号，因其生前与不良人士勾结，结党营私，腐化堕落。懿宗采纳了曹邺的建议，此举亦对当朝臣子起到了警示作用。曹邺在拟定谥号时，始终秉持公正廉明之原则，拒绝权贵贿赂，不畏惧高官威逼。然而，曹邺的刚直性格招致嫉恨与迫害，加之他对官场黑暗的深刻认识，最终使他在洋州刺史任上辞官。之后，他南归桂林，居住在桂林城西之阜财坊，于旧居地建起老圃堂，晚年以读书、赋诗、教馆自娱。

广西桂林曹邺读书岩

曹邺深切同情那些流离失所、无所依傍的底层民众，他通过诗歌的形式，真实地记录了当时社会的残酷现实，并以其锐利的笔触讽刺了那些荒淫无道的统治者。他以现实主义题材的诗歌著称于世，著有《艺文志》《经书题解》《曹祠部集》等作品，通过诗歌揭露社会矛盾，抒发政治上的郁闷之情，表达对腐朽官场的不满以及对贫苦人民的深切同情。他所作《官仓鼠》一诗，流传甚广，诗中描述："官仓老鼠大如斗，见人开仓亦不走。健儿无粮百姓饥，谁遣朝朝入君口。"此诗讽刺那些公器私用、不恪尽职守、中饱私囊的贪官污吏如同肥硕的大老鼠，明目张胆地窃取国家和人民的粮食，而百姓却因苛捐杂税、沉重徭役而食不果腹。

据传，曹邺年少时曾在阳朔城北天鹅山下的岩洞中苦读，此岩洞后被命名为曹邺读书岩。明代解缙为之作诗，刻于岩口。后人曾在此建立曹公祠、曹公书院，但今已不复存在，仅余曹邺读书岩供后人瞻仰。明正德年间于桂林文庙建五贤祠，祀唐代曹邺、赵观文，宋代唐介、王世则、陶崇，即是对曹邺为民请命精神的肯定。

赵观文：广西第一位状元

其赵观文、程晏、崔赏、崔仁宝等四人。才藻优赡。义理昭宣。深穷体物之能。曲尽缘情之妙。所试诗赋。辞艺精通。皆合本意。……其赵观文等四人并卢赡等十一人。并与及第。

——陈鸿墀《全唐文纪事》卷十五

赵观文，生卒年不详，今广西桂林芦笛岩桥头村人，十七岁为秀才，三十八岁赴京科考。他历经波折，终在唐乾宁二年（895年）成为广西第一位状元，任翰林院侍讲，被誉为“桂州三才子”及“桂州五贤”之一。

生于忧患，心怀抱负

安史之乱，无疑是唐王朝辉煌与衰败的分水岭。随后，藩镇割据盛行，朝廷内部宦官擅权，党争激烈，政治局势一片混

广西桂林东西巷的赵观文塑像

乱。加之农民起义风起云涌，以王仙芝、黄巢为首的农民起义军，更是对唐朝的统治构成了巨大冲击，唐朝宛如风中残烛，岌岌可危。

唐中和三年（883年），黄巢起义军败退，唐僖宗得以重返长安，但此时皇权旁落。为了稳固皇位，重振朝纲，唐僖宗寄望于通过科举选拔贤才，为朝廷注入新鲜血液。一时间，岭南西道的政治中心桂州，不少学子云集参加科举考试。

今桂林芦笛岩桥头村人赵观文，年幼好学，博学多才，被誉为“神童”。他进城应试秀才，考试之余，他与几位同场考生同游山水，乘舟顺虞山而下，到达斗鸡山脚下的斗鸡潭。映入眼帘的是两山隔江对峙，宛如两只雄鸡昂首振翅，蓄势待发，“斗鸡奇观”之景象栩栩如生。赵观文被这壮丽的景象深深触动，他即兴赋诗：“江流横锁斗鸡山，何故相争昂紫冠？今日皇都多此戏，低吟高唱泪痕斑！”他的诗句赢得了在场众人的喝彩。他的诗句不仅描绘了眼前的山水美景，更深刻反映了当时的社会现实：唐朝末年，帝王公卿沉迷于享乐，无心朝政，国力日衰，百姓生活困苦。他以斗鸡为喻，暗讽时局，表达了对国家未来的深深忧虑，可见他胸中有大志。

一开始，赵观文科举一路顺利，在唐乾宁二年（895年），他以桂州举子身份进京参加春闱的进士科考试，成绩斐然，初列第八。然而，主考官刑部尚书崔凝徇私舞弊，导致庸才上榜，有才之士却落榜。落第举子愤慨不已，纷纷要求重考。最终，唐昭宗诏令陆扆（yǐ）为主考官，已录取的二十五名进士在武德殿进行重考。在这场重考中，赵观文脱颖而出，一举夺得状元桂冠，成为广西历史上第一位有据可考的科举状元。

同年，褚载为赵观文赋诗《贺赵观文重试及第》："一枝仙桂两回春，始觉文章可致身。已把色丝要上第，又将彩笔冠群伦。龙泉再淬方知利，火浣重烧转更新。今日街头看御榜，大能荣耀苦心人。"褚载与赵观文同榜，他以生动的比喻和饱满的热情，盛赞了赵观文经过重考夺取状元桂冠的壮举，也表达了对赵观文人品和才学的尊重和敬佩。另一同年进士黄滔亦有诗《和同年赵先辈观文》赠赵观文："玉兔轮中方是树，金鳌顶上别无山。虽然回首见烟水，事主酬恩难便闲。"此诗亦表达了对赵观文才学的敬仰和品德的尊重。这两首诗均被收录在《全唐诗》中。

赵观文状元及第，是广西第一位状元，桂州文坛为之一振，桂州城内的进贤坊因此而得名。唐代莫休符所著的《桂林风土记》记载："进贤坊长街，因赵观文状头及第，前陈太保改坊名。""进贤坊"的改名，是为了彰显赵观文的卓越成就，使其流芳百世。清代时，于凌汉等人在赵观文的家乡立下了"赵状元故里"的石碑，以激励后来的学子。

一身正气，清正廉洁

高中状元后，赵观文并未因功名利禄而忘却初心，深知自己肩负着重振唐室、造福百姓的重任。在任秘书省校书郎期间，他勤奋学习，深入研究经史子集，以期能为国家提出有益的建议。他的才华和学识得到了唐昭宗的赞赏，不久便被擢升为翰林学士。任职期间，赵观文多次上书言事，针砭时弊，提出了一系列有益于国家发展的建议。可惜，日趋没落的唐朝已经沦为权臣与宦官权力角逐的舞台，宦官刘季述专横跋扈，宰相崔胤工于心计，两方互相排挤。才华横溢的赵观文成为权宦们竞相拉拢的目标。他怀揣着恢复尧舜之风的崇高理想，不愿与权宦同流合污，以诗为矛，以犀利的笔触抨击宦官刘季述的专横和宰相崔胤的飞扬跋扈，他的傲骨赢得了那些长期受崔胤等人欺压的正直朝臣的钦佩，他们纷纷称赞赵观文的诗作，一时传为佳话。

因遭到排挤和打压，赵观文怀着“穷则独善其身”的志向，毅然选择辞官，携带着行囊踏上了归乡之路。他卓越的才华、高尚的人格和坚定的操守，得到了桂州官员和百姓的深深敬意。桂州观察使陈藩、桂州长史朱韫在新修尧舜祠落成之际，特地邀请赵观文撰写《桂林新修尧舜祠祭器碑》。赵观文欣然提笔，其文文采飞扬、义理昭然、用典精当，以朱韫与陈藩两人的对话，歌颂尧舜关心民疾、懿德嘉行的崇高品德，号召邑民修建该祠以将儒家文化发扬光大。这是赵观文在桂州留下的唯一篇章，在《全唐文》里有全文收录。该文表现了赵观文个人的“正统文化”观念，即是将“尧舜信仰”自下而上推入国家正统信仰体系中，充分反映了儒家正统文化与岭南的民间神明信仰的融合，有力地推动了中华传统文化的发展。

作为一代才子和广西第一位状元，赵观文为后人敬仰，与同时代的今桂林阳朔诗人曹邺、临桂诗人曹唐被并称为“桂州三才子”。他逝世后，后人把他尊为“桂州五贤”之一。如今的桂林市东西巷建有状元廊，内有赵观文的塑像，供后人瞻仰。

高骈凿通潭蓬运河

高骈字千里，幽州人……

先是李琢为安南都护，贪于货贿，虐赋夷獠，人多怨叛，遂结蛮军合势攻安南，陷之。自是累年亟命将帅，未能收复。五年，移骈为安南都护。至则匡合五管之兵，期年之内，招怀溪洞，诛其首恶，一战而蛮卒遁去，收复交州郡邑。

又以广州馈运艰涩，骈视其水路，自交至广，多有巨石梗途，乃购募工徒，作法去之。由是舟楫无滞，安南储备不乏，至今赖之。

——刘昫等《旧唐书》卷一百八十二《高骈传》

潭蓬运河位于今防城港市防城区江山镇潭蓬村，现存长度约一千五百米，河道平均宽度约八米。运河南壁有摩崖石刻“咸通九年三月十三日下手”，表明开凿年代为唐代晚期的唐咸通九年（868年）。此运河于唐代历经无数次开凿，最终为唐代晚期镇守越南的静海军节度使高骈所凿通。

高骈聚众力凿通运河

高骈（821—887年），唐末幽州（治今北京城西南隅）人，字千里，是唐宪宗时期名将高崇文之孙，出身于名门渤海高氏。其家族世代担任禁军将领，其父高承明曾任神策军虞候。高骈早年便加入右神策军，后官至右神策军都虞候。

唐懿宗咸通初年，安南都护李琢为人贪残，敛赋于民，起兵叛乱，唐廷被迫迁交州于海门镇，并屡次派兵征讨，均不能收复安南。唐咸通五年（864年）七月，经宰相夏侯孜推荐，唐懿宗任命高骈为安南都护、经略招讨使，抚军十万，主持收复安南事宜。

高骈率兵水陆并进，经灵渠转入珠江水系，然后从南流江出海，逶迤沿海岸西行，入防城港西湾。这里古时设有水寨，离交趾不远，仅相隔一个江山半岛，直线距离不过五公里。船队若从半岛的外端行驶，不但航程较远，而且难以避开大浪的袭击，如能修筑一条运河横穿江山半岛则有百利而无一害。

传说在东汉时，伏波将军马援平定交趾二征之乱时，已有开凿运河的想法。然而，由于当地岩石遍布，工程难度极大，加之军事行动迫在眉睫，使得这一计划不得不半途而废。从东汉到唐初，几次尝试均未成功凿通运河，说明当时工程面临诸多困难。

但是高骈不气馁，在充分勘探后，他排兵布阵，就近募工，从半岛的最窄处潭蓬附近动工，派遣长吏林讽、湖南军都将余存古等率领将士及水手一千余人，自唐懿宗咸通九年（868年）起，操持锹锸，丰备资粮，刊山凿石，到九月十五日完工，最终成功地完成了这一工程，并将其命名为“天威遥”。这一运河缩短了安南至广州海路，使兵员粮草得以源源不绝地输往前线。

潭蓬运河利万代

潭蓬运河凿通后，往来船舶不必绕过江山半岛而直航防城、珍珠两港湾，不但缩短了航程，而且避开了江山半岛南端白龙尾的巨浪搏击和海盗的袭击，使船舶安然航行，有很好的军事和航运用途。运河开通后一直沿用至明末清初，后逐渐荒废，现为灌溉水渠。

高骈凿通潭蓬运河之事，被其幕僚新罗人崔致远写在诗文合集《桂苑笔耕集》里。崔致远写有《天威径》：“凿断龙门犹劳身，擘分华岳徒称神。如何劈开海山道，坐令八国争来宾。”此诗以对比和夸张的手法，肯定了“天威径”凿通后沟通海山道、利于交通的作用。

获高骈赏识和任用的顾云亦写有一诗《天威行》，盛赞凿通“天威径”之功。

蛮岭高，蛮海阔，去舸回艘投此歇。
一夜舟人得梦间，草草相呼一时发。
飓风忽起云癫狂，波涛摆掣鱼龙僵。
海神怕急上岸走，山燕股栗入石藏。
金蛇飞状霍闪过，白日倒挂银绳长。
轰轰砢砢雷车转，霹雳一声天地战。
风定云开始望看，万里青山分两片。
车遥遥，马阗阗，平如砥，直如弦。
云南八国万部落，皆知此路来朝天。
耿恭拜出井底水，广利刺开山上泉。
若论终古济物意，二将之功皆小焉。

顾云用了“耿恭拜井”和“李广利刺泉”两个典故做对比，认为高骈凿通潭蓬运河之功远高于此二人，他将运河裁弯取直避险，此举利于边疆与中原的联系。

潭蓬运河开通后，因其既可以缩短航程，又可以躲避风浪和海盗，是当时出海贸易的安全之路。“往来自然，货殖贸迁，华戎利涉。”其交通功能一直沿用至明末清初。如今，虽然运河不再承担航运之功能，但是其在保障潭蓬、潭西两村两千多亩稻田的灌溉方面功劳显著。1981年，潭蓬运河成为广西壮族自治区重点文物保护单位。

相思埭运河通桂柳

临桂……有相思埭，长寿元年筑，分相思水使东西流。又东南有回涛堤，以捍桂水，贞元十四年筑。有侯山。

——欧阳修、宋祁等《新唐书》卷四十三上《地理七上》

相思埭运河，这个充满诗意的名字背后，承载着深厚的历史底蕴。它又名桂柳运河，曾有着临桂陡河、南陡河、西渠、南渠等多个别名，自唐代凿通后，即是连接桂林与柳州的一条水上通道。

正值盛世，应运而生

相思埭运河，宛如一条熠熠生辉的银色丝带，静谧地蜿蜒在风景如画的桂林市临桂区，它是连接漓江支流良丰江与柳江支流洛清江的支流相思江的重要纽带。

唐朝时，国家兴旺发达，疆域辽阔，经济蓬勃。为了满足日益增长的交通和贸易需求，以及加强地区间的联系与交流，

相思埭运河水源发源地之一狮子岩

朝廷下令开凿相思埭运河。完工后，它成为当时重要的水利工程之一。

相思埭运河的水源来自狮子岩这座矮小山岩流出的地下水，虽然水量不大，但源源不断，为运河提供了稳定的补给。工匠们凭借高超的技艺和顽强的毅力，以排水河道为基础，用智慧和汗水开凿出这条运河。分水塘作为运河的起点，水从这里流向两个方向，一旦分离便再不相遇，这种情景恰似恋人之间的相思之苦，因而得名相思埭。

建成后的相思埭运河，东起良丰江的良丰，西至相思江的大湾，全长约十六公里。运河两岸，绿树成荫，鸟语花香，景色宜人。河水波光粼粼，清澈见底，映照出两岸的风光。在运河的滋润下，周围的农田得以灌溉，百姓安居乐业。

沟通桂柳，商贸繁盛

相思埭运河的通航，促进了唐代桂柳两地的经济和文化交流。之前，良丰江与洛清江是桂柳两地的重要水系，但两地之间没有直接水路相连，往来多有不便。相思埭运河通航后，两地之间的货物可以通过水路直接运输，比之前方便了不少，运输成本也降下来了。商人们还利用运河将各地的货物运往目的地，带动了两岸的商业发展。同时，运河也成为文化交流的桥梁，桂柳两地的文化借此得以交流融合。靠着运河的便利，临

相思埭运河东渠一角

相思埭运河西渠堤坝

桂等地的经济和文化事业也蓬勃发展，成为当时广西地区的重要城市之一。

关于唐宋时期相思埭运河的主要功用，史料的记载并不多见。根据今人的研究推测，当时的相思埭运河主要用于农业灌溉和军需航运。在农业方面，它为周边农田提供了宝贵的水源，使得农作物得以茁壮成长；在军事方面，它则成为运输军需物资的重要通道，为边疆地区的稳定和国家政权的巩固发挥了重要作用。

然而，随着时间的推移，相思埭运河也面临着一些挑战。由于水源的限制，运河的水量并不稳定，尤其在干旱季节，运河的水量会大幅减少，甚至无法通航。此外，运河的维护和管理也面临着诸多困难。运河的航道较长，维护起来需要投入大量人力、物力，而当时的地方政府并没有足够的财力来支持运河的维护和管理。

清代雍正、乾隆年间是相思埭运河的黄金时代。清朝雍正年间任云南、贵州、广西三省总督的鄂尔泰称："粤土虽瘠薄，得二渠以储名福泽，可俯视秦关郑白矣。"这里的"二渠"即指南渠（相思埭运河）、北渠（灵渠），鄂尔泰称相思埭运河、灵渠与历史上具有重要意义的郑国渠（秦朝时开凿）、白渠（汉朝时开凿）相比更胜一筹。这一时期，随着国家经济的繁荣和技术的进步，相思埭运河的工程技术和运输效益都达到了全盛时期。然而，随着清朝统治的日益衰落，相思埭运河也逐渐被冷落。尽管如此，在民国年间它仍然能够通航，继续发挥着重要的作用。

新中国成立后，国家高度重视水利建设，相思埭运河也得到了新的发展机遇。政府投入了大量人力、物力对运河进行整治和改造，使得运河的通航能力得到了显著提升。同时，政府还加强了对运河的维护和管理，确保了运河的安全和稳定。如今，相思埭运河已经成为一个重要的旅游景点。游客们可以乘船游览运河，欣赏沿途的秀美风光，感受运河的历史和文化底蕴。

唐代广西路通四方

入四夷之路与关戍走集最要者七：一曰营州入安东道，二曰登州海行入高丽渤海道，三曰夏州塞外通大同云中道，四曰中受降城入回鹘道，五曰安西入西域道，六曰安南通天竺道，七曰广州通海夷道。

——欧阳修、宋祁等《新唐书》卷四十三下《地理七下》

唐朝初期，朝廷为了加强对地方的控制和管理，根据山川地势和经济发展情况把全国划分为十五道。其中，岭南道覆盖了现今的我国广东、广西及越南北部和中部地区。为了更有效地管理这一区域，朝廷在广州设立岭南五府经略使，分别管理广州、桂管、容管、安南、邕管五个区域。

广西山脉延绵，水资源丰富，水系非常发达。到唐朝时期，广西的交通已经有了很大的发展，形成以水路交通为主，水路、陆路并进的交通网络。同时，广西由于特殊的地理位置，成为对外交通路线上的重要枢纽，除北上可达长安、洛阳外，向西经南诏可达南亚，向东经广州出海可到南海诸国，向南经安南可达东南亚国家。广西交通网的形成，不仅促进了沿线城市、圩镇的经济发展，还促进了广西各民族交往交流交融，以及中原文化的传播与交流。

陆路驿道，通四方

广西地理位置特殊，连绵的山脉把广西与中原地区隔绝开来。

秦始皇一统六国后，为了巩固边疆，他下令开辟一条通往岭南的大道。岭南通往中原的潇贺古道悄然而生。它穿越崇山峻岭，见证了无数行者的足迹和汗水。相传汉代的伏波将军马援率领大军征讨交趾，对这条大道进行了修整和加固。到了唐代，这条古老的驿道被重新修整和拓宽，变得更加坚实。历代

连接桂柳运河的商道

来到广西的官员、文人墨客和出征岭南的官兵、赴京赶考的士子等，在这条古老驿道上熙来攘往。此后，历代朝廷都重视这条道路的建设和维护，使得它成为连接中原与岭南的重要通道。此外，还有黔桂古道、滇桂古道等众多驿道。

在唐代李吉甫写的《元和郡县图志》里有岭南道的桂管经略使辖区的交通走向及里程，这些驿道从桂东北、桂东南地区逐渐向桂中和桂西地区扩展，构建了覆盖广西的驿道网络。驿道网络以桂州、邕州、梧州等中心城市为支点，向四面八方辐射，形成了水陆并进、四通八达的交通网络，连接着广西的每一个角落。

一条条林间、山间、乡间的小径，有效地维系了州县、乡镇及村屯之间的联系。驿道与这些小径共同构建了广西四通八达的陆路交通体系。

水路如网，内外联通

广西河流纵横交织，构成了密集的河网。红水河与柳江携手奔腾，最终汇入黔江；左江、右江汇为邕江，后称郁江。郁江与黔江在桂平汇合后，又一同流入浔江。再往下，浔江与桂江在梧州交汇，汇入广东的西江。因此，顺着西江而下可出海。此外，广西还有贺江、北流江、南流江等众多支流，使得水路交通在古代成为广西最为主要的交通方式。

除大自然赋予的丰富水系外，还有一条条人工开凿的运河。灵渠是秦朝时期开凿的运河，在广西交通运输中起到重要的作用。唐朝桂州总管李渤曾对灵渠进行了一次大规模的修整，桂州刺史鱼孟威汲取了李渤的经验，对灵渠进行疏通、加固，延续了灵渠的生命，使灵渠成为当时广西的主要交通干道。后来，唐朝又在广西临桂开凿了相思埭运河（桂柳运河）、在防城港开凿了潭蓬运河（天威遥运河）。这些运河见证了历史的沧桑，也见证了无数人的辛勤和汗水。

广西还有漫长的海岸线和天然的深水港，交织的河流与人工运河连成了一条条出海的航线。比如走“灵渠—绣江—南流江—合浦”这条航线出海可抵达东南亚、南亚诸国，与这些国家进行贸易往来。广西凭借独特的水上优势和地理位置在海上丝绸之路上占据了一席之地。

北人南迁和融共生

邕州，上元后置经略使，领邕、贵、党、横等州，后又罢。长庆二年六月，复置经略使，以刺史领之。刺史充经略使，管戍兵一千七百人。衣粮税，本管自给。

——刘昫等《旧唐书》卷四十一《地理四》

自贞元已来，衣冠得罪流放岭表者，因而物故，子孙贫悴，虽遇赦不能自还。

——刘昫等《旧唐书》卷一百七十七《卢钧传》

秦统一岭南之后，为了便于对岭南地区进行管理，派了大批中原汉族人民移居岭南，与当地的越人杂居。他们世代通婚，和谐相处。魏晋南北朝时期，永嘉之乱使岭南各少数民族与汉族又一次大交融。隋唐时期，岭南又一次迎来了民族交融。北方人民的南迁，一方面改变了岭南的人口结构；另一方面，移民带来的先进技术和文化促进了岭南地区社会、经济、文化的发展。

北人入桂寻新家

唐朝，岭南地区是谪官集中之地。有研究表明，唐朝全国可考被贬至岭南地区的官员为全国之最。神龙年间张柬之、袁恕等“五王”都被流放岭南。

唐朝获重罪被流放的人，没有皇帝的特赦，是不允许返回原籍的。被贬谪的官员，虽然有起复的可能，但因此留在岭南的不在少数。随着被流放及被贬谪至岭南地区的士人的增多，他们之间会相互联姻，促进了民族交融。

唐朝时，许多人因为被流放或者被贬谪，拖家带口从北方迁到岭南地区，其后代子孙不断努力壮大家族，其中的佼佼者成为闻名于世的杰出之人。如在今桂林西山有大量唐代摩崖造像，罗家山有“大唐调露元年十二月七日，随太师太保申明公孙昭州司马李实造像一铺”。此处的李实，其家族原在陇西，

广西桂林西山摩崖李寔造像

家族当中有李穆、李浑、李宇、李寔（shí）等。李穆曾任隋太师太保申明公，开皇六年（586年）卒。隋炀帝时，宇文述诬告李穆一门谋反，将李穆家族流放到岭南，其孙李实于唐调露元年（679年）任昭州司马。还有安野郍罗家山造像，“景龙三年八月廿四日迁客安野郍（nuó）之石室故记”，景龙三年（709年），安野郍自称“迁客”，应是迁居广西的北方人。这些造像是广西外来移民融入本地的见证。

唐朝天宝年间，爆发了安史之乱，唐朝由盛转衰。越来越多的百姓带着对故土的眷恋和对未来的憧憬，跋山涉水，入桂寻觅新家园。据宋代《草圩村熊氏宗族源流碑》记载，在灵川县，熊氏入桂始迁祖熊秉境是江西人，在唐天祐二年（905年）到广西任职于广西盐道使司。熊秉境有子三人，长子国栋和二子国樑居住在桂林，三子国材辞仕归农后移居东乡湖塘村。熊国材育有四子，分别名曰家福、家禄、家祯、家祥。熊家禄育有六子，分别名曰康富、康贵、康荣、康华、康兴、康旺。后晋天福元年（936年），熊家禄带同六子从东乡湖塘村搬至今大熊村居住。之后，兄弟六人分支，各择其地，分别居住在文昌村、草墟村等。

文化教育勃兴

隋朝以后，广西的官学教育有了显著的发展。隋开皇十七年（597年），桂林总管令狐熙在任职期间，拨出财政经费，为各州建立城邑、开设学校。另外，嘉庆《广西通志》中记录了隋大业十三年（617年）灌阳县建了县学。

据史料记载，唐代许多著名诗人、文人皆与岭南有不解之缘。韩愈、柳宗元、刘禹锡等曾因被贬谪而到岭南，对岭南地区的社会文化发展起到推动作用。从唐高祖武德年间开始，官府就开始在广西的一些州县修建官学，共创办官学十一所。唐武德五年（622年），修建岑溪县学。容州是唐代广西兴学较早的地区。史料记载，容州官学兴建于唐贞观元年（627年），由刺史厉文材修建，元和初韦丹重修。贞观初期，修建博白县学；唐贞观三年（629年），北流县学兴建于登龙桥东。柳州官学兴建于唐初，元和年间柳宗元在任时曾经重修。唐大历年间，桂州都督李昌巎修建桂州官学，象州官学也兴建于该时期。此外，还有兴建于唐初的永福县学、武缘县学，以及灵山县学等。

除了官学之外，广西的私学亦有很大的发展。如独秀峰下的颜延之读书岩处有桂州都督李昌巙倡导修建的宣尼庙和读书场所，提倡读书教化。唐元和十年（815年），柳宗元修建文宣王庙，以一代文学宗师开启了柳州的文风，追随的士子都能“执经书，引仁义”。

据有关史料统计，唐代广西共有十名进士，包括李尧臣、宁原悌、姜公辅、曹唐、曹邺、赵观文、毛承吟、毛延铎、毛延禹、梁恩。他们的籍贯主要在桂东、桂南地区，与此时期广西官学主要分布区相一致，说明了唐代时桂东、桂南地区的文教事业有了很大的发展。宁原悌是钦州宁氏家族的佼佼者，足见唐代时广西桂南地区文化亦是有长足进步。

唐朝时，大量北人南迁至广西，与广西当地百姓共同生产生活，文化互相交融。唐会昌二年（842年），元晦出任桂管观察使。元晦所写的《叠彩山记》称：“门阴构齐云亭，迴在西北，旷视天表，想望归途，北人此游，多轸乡思。”此见证了唐朝时期仕桂官员或被贬谪之人的思乡之情。唐代赴桂的流人贬官和文化名人们，在桂期间除了倡导文化、开发名胜，还在各地山岩石壁镌刻诗文，这些均是中原文化南传的见证。

历经安史之乱、黄巢起义等之后，入桂的北人越来越多。南宋周去非所撰的《岭外代答》中《五民》词条记录了宋朝钦州的五类人群，其中的骆越、俚人均属世居此地壮族先民，而北人原为西北流民，是五代时期为躲避北方战乱而迁至钦州的。可见在唐末五代时，中原移民持续迁桂，与当地百姓居民杂居，安居乐业，共同开发广西。

今广西桂林因是北人南迁始入之地，其中原文化底蕴最深，文化教育亦最兴。如唐代的赵观文、曹邺、曹唐三才子，均是桂林人。因此，唐人萧昕在《送桂州刺史序》中称桂州“俗比华风”。桂东南地区的浔州和容州，因官学和私学的蓬勃发展，文教渐盛，冠服礼仪已经与中原地区相同，且文人辈出。

唐代时，广西各民族交往的空前频繁，极大地促进了各民族文化的交流与融合，推动了广西文化教育事业的发展与进步。

《桂林风土记》：桂林最早“旅游指南”

莫休符《桂林风土记》三卷。

——欧阳修、宋祁等《新唐书》卷五十八《艺文二》

《桂林风土记》，唐融州刺史权知春州莫休符撰，昭宗光化二年也。

——陈振孙《直斋书录解题》卷八

莫休符，生卒年不详，唐代官吏、学者，广东封开人，历任银青光禄大夫、检校左散骑常侍、融州刺史、御史大夫。他晚年辞官退居桂林。唐光化二年（899年），他写成《桂林风土记》，将所见所闻录入书中。那是一部有关桂林历史地理和风俗人情最早的风物志，堪称桂林最早的“旅游指南”。

桂林风华，墨客留痕

桂林，这座秀丽之城，自古以来就以独特的地貌和迷人的山水风光吸引着无数文人墨客。早在唐代，就有不少诗人在此留下了脍炙人口的诗篇。而莫休符，这位对桂林情有独钟的文人，更是将自己的所见所感倾注于笔端，写下了这部《桂林风土记》。

《新唐书》著录有该书的信息，但仅列作者、书名及卷数。如今岁月流转，仅剩一卷，但其价值并未因此而有丝毫减少。莫休符在写书时，重视山水风景和名胜古迹，并兼顾桂林城周边象州、宜州、藤州等地的风景名胜。该书不仅记载了漓山（象鼻山）、南溪山、隐山、尧山、独秀山、灵渠、黄潭、岩光亭、东山亭、拜表亭、舜祠、双女冢、伏波庙等十多处山水景观及古迹，还记载了莺坊府郭、进贤坊、颜延之宅等名人故居和古建筑，以翔实的内容、生动的描述和独特的视角，记录了当时的桂林城内的历史风貌。

双女冢在府城北十里，俗传舜妃寻帝，卒而葬于此。冢高十余丈，周回二里余。

伏波庙在郭中之东北二里，是东汉伏波将军马援之祠也。

东观观在府郭三里，隔长河，其东南皆崇山巨壑，绿竹青松，崆峒幽奇，登临险隘，不可名状。

莫休符用细腻的笔触勾勒出桂林这座城市深厚的历史底蕴、独特的风土人情，以及桂林及其周边地区名胜之地的诞生与壮丽的自然景观。书中所载，不仅展现了这些名胜浑然天成的美丽，更是巧妙地穿插了与之交相辉映的神话传说，使得书中内容更加引人入胜。以尧山庙为例，书中不仅详尽地叙述了尧山庙的地理位置与名字的由来——坐落在桂林东北，与舜祠隔漓江而望，因此得名；更是生动地描绘了尧山庙“北连湖山，连亘千余里”的壮丽景色，以及那“天将降雨，则云雾缭绕，逡巡风雨互至”的神奇气象。这些描述使得尧山的形象跃然纸上，读者仿佛身临其境。

古迹文化，山水诗韵

除了绝美的山水景色，《桂林风土记》更是细致地描绘了桂林地区的诸多名胜古迹。书中有李渤、元晦、裴行立、韦瓘等人开发桂林山水、修建名胜的记载，以及张固、卢顺之、张丛、元晦、路单、李渤等吟咏桂林山水的诗作，多为轶篇，弥足珍贵。这些名胜古迹不仅是桂林悠久历史文化的见证，更是人们探寻历史、领略文化的绝佳窗口。

关于象鼻山对面的訾家洲这一景致，《桂林风土记》中有详细记载：

在子城东南百余步长河中。先是訾家所居，因以名焉。洲每经大水，不曾淹浸，相承言其浮也。元和中，裴大夫（名行立，四子归之、归仁、归闻、归礼，庶因获朝溪也）创造亭宇，种植花木。迄今繁盛，东风融和，花卉争妍。有大儒柳宗元员外撰碑，千余言犹在。

訾家洲的得名，是因为古时訾姓家族曾在此居住，虽在江中，但涨水时亦不会沉没。莫休符还顺势记下了裴行立在洲上建亭造景之事，并提及柳宗元撰写的洋洋洒洒千余字的碑文。文后还提及杨尚书和陆宏休的宴游咏景诗。

《桂林风土记》还描绘了峻拔的独秀峰、历史悠久的开元寺与延龄寺等，以及兴安地域内被赋予了神奇色彩的灵渠和海阳山。这些详尽的景点介绍，不仅使书本内容更加丰富多彩，还为后人研究桂林及其周边地区山水之美与自然之韵提供了宝贵的史料。如书中提到的迁莺坊府郭："迁莺坊本名阜财，在市西门。因曹邺中丞进士及第，前政令狐大夫改为迁莺坊。在府西门进贤坊长街，因赵观文状头及第，前陈太保改坊名。"此处所提及的曹邺进士及第，确有其事，唐大中四年（850年）曹邺登进士，因原坊名"阜财"不够文雅，方才改为"迁莺"之名。

广西桂林独秀峰

《桂林风土记》记述的桂林地区山川古迹、风物土产等，多为作者亲见，对于研究桂林及其周边地区的山水名胜与自然景观特点具有举足轻重的史料价值。这是一部研究唐代桂林历史地理的著作，又是唐代最早的桂林“旅游指南”。

山水甲天下：唐代桂林旅游勃兴

苍苍森八桂，兹地在湘南。江作青罗带，山如碧玉篸。户多输翠羽，家自种黄甘。远胜登仙去，飞鸾不假骖。

——韩愈《昌黎先生文集》卷十

在唐朝的辉煌时期，桂林以得天独厚的地理位置和丰富的自然资源，迎来了旅游业的蓬勃发展。这不仅得益于当时政治经济的繁荣发展，还与交通网络的完善息息相关。

市镇繁荣，交通通畅

自唐代起，随着政治、经济的蓬勃发展，水陆交通要道旁陆续崛起了一批市镇，诸如桂州、邕州、柳州、容州等，皆为唐代繁荣的象征。这些城市商贾云集，不仅成为周边州县经济腾飞的枢纽，更是州内举足轻重的市镇，汇聚了士官胥吏。以桂州为例，其地理位置得天独厚，位于“湘水之南，粤垠之……遥制海疆，旁控豁洞”，战略地位不言而喻。隋开皇十年（590年），桂州总管府设立于此。

唐武德四年（621年），唐朝平定萧铣后，始安郡再次更名为桂州，并恢复了桂州总管府的建制，桂州成为唐朝在广西北部的政治经济中心。唐武德七年（624年），桂州总管府升级为桂州都督府。唐开耀元年（681年），又设立了桂州经略使，其治所也设在桂州。为了巩固统治，唐初名将李靖到任后，在桂州筑城。该城坐落于漓江西岸，被誉为“子城”。城池规模宏大，设有四门。因官府衙署多设于此，故又被称为“衙城”。

到了唐朝后期，桂州的商业日益繁盛，人口也迅猛增长。

为满足居民的需求，唐宣宗大中年间在子城西侧、漓江南岸，即今桂林市杉湖附近，又增建了外城作为居民区。外城规模庞大，共有八门，分别为怀威、肃清、朝京、龙堂、阳亭、通波、伏波和洗马。唐僖宗光启年间，都督陈环在外城北部又筑起了夹城，周长超过三公里，作为商业区。夹城的商业活动十分活跃，正如唐人莫休符在《桂林风土记》中所记载的那样，当时的桂林已成为“南北行旅，皆集于此”的繁华之地。

贞观盛世，朝廷深谙交通对于国家繁荣的重要性，因此，对之前所开辟的道路进行了整治与拓宽。这不仅强化了中央王朝对地方的控制，也为当地的经济发展和文化交流提供了坚实的支撑。

广西西部新开辟的牂牁（zāng kē）道，成为连接云南、贵州的重要纽带。这条道路极大地推动了区域间的经济文化繁荣，使得云南、贵州、广西之间的商品流通更加便捷，文化交流更加频繁。

唐朝时，广西以桂、邕、容三管治所为核心，构建了一个四通八达的交通体系，覆盖了广西各地，使得各地的联系更加紧密。同时，驿站的设立为商贾提供了食宿之便利，还提供了必要的交通工具换乘和信息传递服务，使得商贾们可以更加便捷地进行贸易活动。

至于水路交通方面，唐朝廷更是投入了巨大的精力。相思埭运河与兴安灵渠的修建与修缮，成为推动广西内河运输蓬勃发展的关键。相思埭运河贯通了漓江与柳江，使得两江之间的水运更加便捷。而兴安灵渠又将漓江与湘江紧密相连，使得广西的水路交通形成了南北贯通、四通八达的格局。这一格局的形成，为当地的经济发展和文化交流提供了有力的支撑。

山水奇美，文韵流芳

唐代的桂林，虽位于边陲之地，但那里的山峦形态各异，有的峻峭如长剑出鞘，有的雄伟磅礴如巨龙蜿蜒，有的静谧幽深似隐士居所。

有官员大力推进桂林景观修建工程，如御史中丞、桂管观察使裴行立治桂期间，营建桂林漓江畔的訾家洲亭，对当时桂林旅游的发展影响巨大。

訾家洲，今称訾洲，桂林市区漓江东侧的一个沙洲，与象鼻山隔江相望，因洲上原住訾姓人家而得名。唐元和十二年（817年），御史中丞、桂管观察使裴行立在一次登洲游玩时，发现訾家洲风景优美，与象鼻山隔江相望，江中倒景美如画，可惜少了些亭台楼阁。为此，裴行立决定在訾家洲上修建一组富丽堂皇的亭台楼阁，以便游人赏玩。他以补贴的方式动员洲上的百姓搬迁出去，再伐掉恶木，除光荒草，筹集材料，考察方位，确定施工方案，最终开发成美景。他特地邀请柳宗元为訾家洲上新建的亭台楼阁写文章。

柳宗元专门为此写的《桂州裴中丞作訾家州亭记》称：“南为燕亭，延宇垂阿，步檐更衣，周若一舍。北有崇轩，以临千里。左浮飞阁，右列闲馆。比舟为梁，与波升降。苞漓山，含龙宫，昔之所大，蓄在亭内。日出扶桑，云飞苍梧。海霞岛雾，来助游物。其隙则抗月槛于回溪，出风榭于篁中。昼极其美，又益以夜，列星下布，颢气回合，邃然万变，若与安期、羡门接于物外。”在柳宗元的笔下，訾家洲亭台楼阁与周围的天然山水胜景相互呼应。洲上南有曲檐回廊的燕亭，北有气势高敞的崇轩阁，可登高临眺，极目千里。洲上左边飞阁高耸，右边馆舍宽广，登洲的桥梁由一些船只并列联结而成，随江上的波浪起伏，其富丽堂皇，极一时之盛。在此洲，可睹漓山，望龙宫，东方日出，西飞云烟，海霞、岛雾都来增添景致之美，曲折的溪流上有月槛耸立，风榭藏于幽静的竹林之内，人们游览此地如游仙境。柳宗元在赞叹一番桂山之灵、訾家洲之美后，还专门赞誉了訾家洲亭的建造者裴公行立。裴行立所修建的訾家洲亭，因有柳宗元的美文高度褒扬，在唐朝时已成为桂林的重要景观，吸引众多文人墨客登洲游宴，留下许多唱和诗。

桂林吸引了众多旅客的目光。这些旅客中，不乏官员、文人墨客与修行僧侣等，他们的到来极大地推动了当时桂林旅游业的发展。他们挥毫泼墨，将这里的景致化作传世之作；他们探险寻幽，尽情享受无尽的乐趣，留下了诸多珍贵的文化遗产与动人的传说。诗人韩愈曾这样描绘：“江作青罗带，山如碧

远眺今广西桂林伏波山、独秀峰、象山

玉篸。”李商隐亦留下笔墨：“城窄山将压，江宽地共浮。东南通绝域，西北有高楼。”这些诗句生动勾勒出桂林城市与山水相依的独特画面。

以自然山水为主题的旅游模式，在唐代已初步奠定了桂林旅游景观的基本格局。它不仅为后来的桂林旅游业奠定了坚实的基础，还为桂林成为“山水甲天下”的旅游胜地奠定了人文基础。

南选：为南方人才特设的选官制度

其岭南、黔中，三年一置选补使，号为南选。凡天下官吏，各有常员。凡诸司置直，皆有定数。

——刘昫等《旧唐书》卷四十三《职官二》

高宗上元二年，以岭南五管、黔中都督府得即任土人，而官或非其才，乃遣郎官、御史为选补使，谓之“南选”。

——欧阳修、宋祁等《新唐书》卷四十五《选举下》

唐朝是一个统一多民族的封建国家，由于疆域辽阔、民族众多，地区间政治、经济、文化的发展水平极不平衡，因此铨选制度也存在地域的差异。南选制度，是指唐朝特派使臣（选补使或南选使）在岭南、黔中及江南、淮南、福建等南方地区就地选补官员。南选制度的实行，是唐朝铨选制度地域差异的体现，对唐朝的统一和稳定，南方地区的文化发展、社会进步都起到了积极的推动作用。

应时而生，顺势而为

唐代时，较之中原地区，岭南地区地处边远，山川险阻、交通相对不便，再加上此地多民族聚居，语言庞杂，风俗习惯差异较大，因此没有人愿意来此地做官。一些服从朝廷安排到岭南上任的汉族官员，时常水土不服，易生疾病，更因不了解岭南各民族实情，无法获得民心，所以治理效果不佳。还有些官员上任后会找理由卸任。

随着唐朝社会经济的持续繁荣，国家实力日渐强大，南方地区也逐步展现出其潜力。为了更加巩固和加强中央集权的统治，唐朝开始重视在岭南、黔中及闽中等南方地区选拔和培养人才。于是南选制度这种特殊形式的铨选制度应运而生。

就地授官，简而不松

唐朝疆域广阔，地区间的文化、教育水平差异较大，使得唐朝科举考试时各州县的录取名额不均衡，特别是边远地区的州县由于文化落后，很少有人能够及第，因此这些地方的州县长官对人才选拔不重视、不积极，造成了州县无人才可用的窘境。这种现象在远离朝廷的岭南地区很常见，唐上元二年(675年)，为了便于在岭南地区进行官员选拔，于是设置了特殊的选官制度——南选制度。

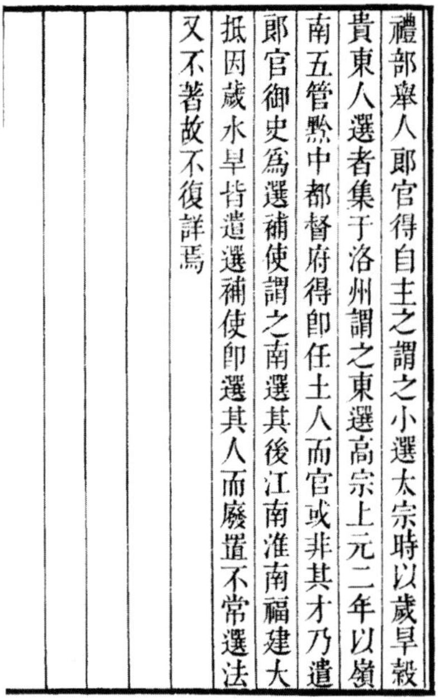
禮部舉人郎官得自主之謂之小選太宗時以歲旱穀貴東人選者集于洛州謂之東選高宗上元二年以嶺南五管黔中都督府得即任土人而官或非其才乃遣郎官御史爲選補使謂之南選其後江南淮南福建大抵因歲水旱皆遣選補使即選其人而廢置不常選法又不著故不復詳焉

《新唐书》中关于南选制度的记载

南选一般是四年举办一次，是出于照顾岭南等南方偏远地区而设置的制度，因此在程序上与吏部的铨选有所差异，相对来说更加简单化、人性化。首先由岭南各官府审查本州、府候选人的出身、经历和选数等信息，并装订成簿书，交给尚书省，由吏部设置的专门机构（南曹）审查候选人的信息是否属实。再经过南选使和吏部根据候选人的才能、经历等审查和评定，判定候选人的品阶和官职。最后南选使将拟定的官衔名单交给吏部，吏部将官员的授官凭信写好之后，专门派人将授官凭信送到岭南官府，官府再将授官凭信送到本人手中，被授官的人拿着凭信在规定时间内上任即可。在整个选官过程中，候选人不用跋山涉水往返于京师和岭南，省下许多时间和费用，给岭南学子提供了更多做官的可能性。为了防止上下包庇、候选人与上交的材料不符、选官不当等情况，朝廷派去的南选使由清明公正的五品以上京官担任，同时还派遣一名御史一同前去监督。此外，南选制度还规定，如果有人想担任五品以上的职务，需要由南选使和所在督府将选人的品行、艺能及其所能胜任的职务等情况全部上报朝廷，由朝廷主持专员进行审核和定夺。这些严格的程序说明了唐朝对南选制度的重视。

推动发展，稳定社会

唐代的南选制度，是鉴于当时南方一些地区的社会实际而特别设立的，与京师铨选制度相比，它承载着更为特殊且重要的意义。

实行南选制度之前，朝廷主要通过任用地方首领为官的方式管理地方事务。地方首领们虽然熟悉本地风土人情，但他们的素质参差不齐，治理能力有高有低。有的地方首领并不称职，他们或“简择未精”，或“未甚得所”，甚至有人会利用手中的权力欺压百姓，使得岭南的百姓生活在水深火热之中。而南选制度的推行，通过一系列考试和考察，选拔出真正有才华、有品德的本地人才。这些人才不仅学识渊博，而且一心为民，他们深谙岭南的风土人情，能够因地制宜、因俗而治。南选制度的推行，使岭南的社会风气逐渐好转，百姓的生活也逐渐安定下来。

在南选制度实施过程中，越来越多的岭南学子走上了通往仕途的大道。他们不再受地域限制，只需凭借才华与努力，便有机会跻身官僚体系之中。

那些通过南选制度选拔出来的岭南儒生们，更是成为岭南地方基层官吏的主要来源。他们或治理一方，或教化百姓，用自己的智慧和力量，为岭南地区社会的发展做出了不可磨灭的贡献。同时，儒家教育在岭南地区得到了更多人的重视。一时之间，书院如雨后春笋般涌现，学子们争相求学，重教重学蔚然成风。唐永昌元年（689年），钦江县（今广西钦州）的宁原悌，凭借着自己的才华和努力，成为中国壮族历史上的第一位进士。

总之，南选制度不仅体现了朝廷对岭南地区社会文化的充分理解和尊重，还为岭南地区的人才选拔和任用提供了更为合适的途径，进而推动了岭南社会经济的持续发展。广西也深受南选制度的影响，这对广西历史的发展和社会的进步起到了重要的推动作用。

羁縻之制助交融

唐兴，初未暇于四夷，自太宗平突厥，西北诸蕃及蛮夷稍稍内属，即其部落列置州县。其大者为都督府，以其首领为都督、刺史，皆得世袭。虽贡赋版籍，多不上户部，然声教所暨，皆边州都督、都护所领，著于令式。

——欧阳修、宋祁等《新唐书》卷四十三下《地理七下》

羁縻制度源于秦汉，兴盛于唐宋，是历代中央王朝对发展落后的民族地区所采取的一种民族政策。“羁，马络头也；縻，牛缰也。”封建王朝为了对边疆民族地区进行统治，于是封授民族首领官职，让民族首领管理本民族事务。羁縻制度下民族地区除在政治上隶属于中央王朝、经济上有朝贡外，其余一切事务均由民族首领管理，能够保留其原来的社会形态、生活方式和风俗习惯。

羁縻桂西，稳边安民

自秦汉以来，我国就逐渐形成了统一的多民族国家。在这个统一的多民族国家里，由于受到诸因素的制约，各民族的政治、经济、文化的发展一直是不平衡的。桂西地区地处边疆，那里聚居着许多少数民族，但因为山川阻隔，交通闭塞，开发较晚，社会发展水平较低，再加上语言、习俗及历史渊源等原因，给中央王朝统治边疆带来了巨大的挑战。因此，唐朝为了巩固初建的皇权和稳定边疆，在吸取前朝经验的基础上完善了羁縻制度，并在桂西地区推广实施。

唐初，邕管的左江、右江和红水河流域位于桂西地区，这里少数民族众多，经济、文化等都比较落后，唐朝采取与桂东地区不同的方法进行统治，在桂西地区设置了羁縻州县。这些州县境域的大小是以各部落的原来活动范围作为行政区划的基础。中央王朝根据各民族首领的实力大小及占地广狭等情况分别授予刺史、县令等官职，让他们管理自己部落区域范围内的事务。各羁縻州县的行政长官职位世袭，并且能够世领其土、世统其民。但是各部落首领必须遵守中央王朝的规定，不得擅自立为王侯，更不能自封为刺史、县令等。他们的官衔职务和名号爵位，必须经朝廷册封和承认方为有效，否则将被视为非法，并受到相应惩罚。

羁縻州县的设置不仅有效缓解了桂西地区因地理、历史、文化等因素带来的治理难题，还促进了各民族间的交往交流交融，为边疆地区的稳定与发展奠定了坚实的基础。

轻徭薄赋，因俗而治

羁縻制度的推行，不仅展现了唐朝统治者高超的治理智慧，还体现了对多民族国家统一性的深刻理解。

李靖是唐朝杰出的军事家，他一生征战数十年，为唐朝的建立及发展立下赫赫战功。李靖十分受李渊的倚重，唐武德四年（621年），李靖奉命安抚岭南，他到达桂州后，当地少数民族首领纷纷表示归附。李靖对桂州采取了特殊的治理政策，先后设置了五十七个羁縻州、四十八个羁縻县，主要采取“全其部落”、“不革其俗”、轻徭薄赋等措施。比如保持羁縻地区少数民族部落的完整性，不强行打破该地区原有的社会结构和组

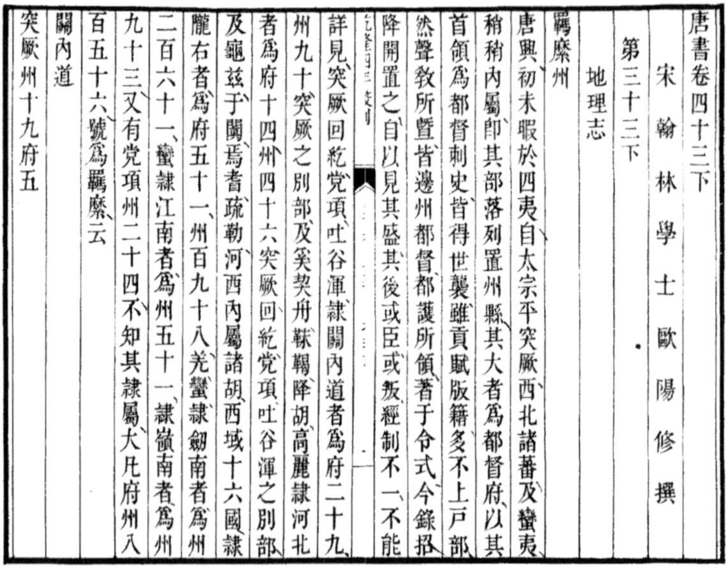
唐書卷四十三下

宋 翰 林 學 士 歐 陽 修 撰

第三十三下

地理志

羈縻州

唐興初未暇於四夷自太宗平突厥西北諸蕃及蠻夷稍稍內屬即其部落列置州縣其大者爲都督府以其首領爲都督刺史皆得世襲雖貢賦版籍多不上戶部然聲教所暨皆邊州都督都護所領著于令式今錄招降開置之目以見其盛其後或臣或叛經制不一不能詳見突厥回紇党項吐谷渾隸關內道者爲府二十九州九十突厥之別部及奚契丹靺鞨降胡高麗隸河北者爲府十四州四十六突厥回紇党項吐谷渾之別部及龜茲于闐焉耆疏勒河西內屬諸胡西域十六國隸隴右者爲府五十一州百九十八羌蠻隸劍南者爲州二百六十一蠻隸江南者爲州五十一隸嶺南者爲州九十三又有党項州二十四不知其隸屬大凡府州八百五十六號爲羈縻云

關內道

突厥州十九府五

《新唐书》关于羁縻州的记载

织形态，允许他们在一定程度上保留自己的治理权和文化特色；尊重羁縻地区的传统习俗和宗教信仰，允许少数民族保留自己的文化和信仰，按照自己的传统方式进行生活；任用当地的少数民族首领或酋长来管理自己的族群，维护当地社会秩序和稳定。同时，羁縻地区不用直接向国家缴纳赋税，只需要向中央进贡少量的方物土产。此外，羁縻地区还可以拥有自己部族的武装力量，但只能镇守疆土，不得擅自行动，必须听从朝廷或都督、都护的调遣，为朝廷服务。

“全其部落”、“不革其俗”、轻徭薄赋等治理措施，体现了唐朝统治者开明的民族政策及一视同仁的民族态度。在羁縻制度的背景下，广西少数民族的民族特性得以保存，同时由于受到中原文化的影响，广西在政治、经济、文化等方面又有了更大的进步，这对于社会发展落后的广西少数民族来说是有利的。

巩固统一，和合共荣

羁縻制度加强了唐王朝对广西的管辖，缓和了隋以前尖锐的民族矛盾，有利于保持边疆地区的稳定和国家的统一。在羁縻制度下，中央王朝采取了一系列发展生产、传播中原文化的措施，促进了广西经济文化的发展。一方面，轻徭薄赋的措施减轻了人民的负担，让广西得以休养生息。中原地区的先进技术在广西得以传播，农业、手工业、商业等方面都得到了很大发展。另一方面，羁縻制度允许尚未设置官学的羁縻州县的先民子弟进入其他州县的官学接受教育。这使得中原文化在广西得到了进一步传播，不仅促进了广西文化的繁荣和发展，也促进了民族之间的交流和交融，不仅缓和了民族矛盾，促进了经济发展和文化交流，还保护了少数民族的文化特色，有利于民族团结和社会稳定。

羁縻制度经历了由松散到完备的发展过程。初期，它主要采取宽松的管理方式，以笼络边疆少数民族的首领，确保他们不产生反叛之心。随着边疆民族地区社会的不断进步与变迁，以及中央王朝统治力量的逐步增强，羁縻制度也日趋完善。至唐代，它已成为一套相当完备的治理边疆民族地区的政治制度，并被广泛实施。羁縻制度的出现和推行，对边疆民族地区的社会、政治、经济、文化产生了深远影响，不仅加强了民族地区与中央王朝的联系，还促进了我国统一的多民族国家的发展与巩固，为后世治理民族地区提供了宝贵的借鉴。

《六合坚固大宅颂碑》：岭南“第一唐碑”

澄州，隋郁林郡之岭方县地，武德四年平萧铣，置方州，领无虞、琅邪、思千、上林、止戈、贺水、岭方七县。贞观五年以上林、止戈、琅邪、领方属宾州。八年改南方州为澄州。天宝元年改为贺水郡。乾元元年复为澄州。……上林，州所治汉岭方县地。武德四年析置上林县也。武虞，武德四年析岭方置。

——刘昫等《旧唐书》卷四十一《地理四》

广西上林县澄泰乡洋渡村麒麟山石牛洞里有一块碑，名为《澄州无虞县清泰乡都万里六合坚固大宅颂碑》（简称《六合坚固大宅颂碑》），刻于唐永淳元年（682年），是迄今发现的古代壮族聚居区最早的摩崖碑刻，现为广西文物保护单位。它在2003年召开的广西上林唐碑唐城学术研讨会上被确认为岭南“第一唐碑”，是唐朝时期广西壮汉文化交融的见证。

韦氏修大宅

《六合坚固大宅颂碑》高九十五厘米，宽六十五厘米，碑文包括序和四言颂诗两首、五言诗一首，共十七行，三百八十一字，楷书。首题：“澄州无虞县澄泰乡都万里六合坚固大宅颂一首，诗一篇并序。岭南大首领、鹣州都云县令、骑都尉、四品子韦敬办制。”

立碑者是韦敬办（一说韦敬辨），韦厥之子，生卒年不详，壮族先民俚人酋长、澄州大首领，唐朝上林人。碑中，韦敬办的官职是“岭南大首领、鹣州都云县令、骑都尉、四品子”。唐朝时期，澄州无虞韦氏家族先祖曾居住在京兆之地，族群人丁兴旺，后来部分分支来到了南方繁衍生息，历任各种官职，声望极高。韦敬办自幼聪明过人，有着远见卓识和雄心壮志，积极带领族人开拓疆土，设立州郡。在他的带领下，韦氏家族不断发展壮大。经过数年的发展和扩张，韦敬办认为要想让家

《六合坚固大宅颂碑》部分

族持续繁荣、安定祥和，必须有一个稳固的根基和坚固的家园。因此，他下定决心要建造一座宏伟的大宅院，以彰显家族的荣耀和地位。

韦敬办亲自选址、设计，并动用了全族的力量，开始了大宅院的建造工作。他挑选了上林县内一处山环水绕、风景秀丽的风水宝地，并请来了能工巧匠，历时数年建成了一座占地广阔、建筑精美、雕梁画栋、金碧辉煌的大宅院。为纪念此事，韦敬办在麒麟山石牛洞里刻立碑刻，即《六合坚固大宅颂碑》。

广西上林澄泰乡洋渡村麒麟山石牛洞的圣书大庙

《六合坚固大宅颂碑》的碑文开篇即叙述了韦氏家族的由来："维我宗祧，昔居京兆，流派南邑。上望无阶。列牧诸邦。数封穷日，分条县宰，不可无□。自余承彝，获称登次，开场拓境，置州占村，如雪草冢垠崖。宜于今日也。"意即韦氏先祖世居中原地区，后迁居岭南任职，入乡随俗，落籍当地，成为地方首领。从秦至唐，广西与中原地区的交通往来频繁，北人南迁是常有之事，如东汉伏波将军马援平定交趾之乱后留戍岭南的"马留人"等。此处的韦氏家族迁桂始祖始于何时未在碑文当中说明，但从此洞供奉的韦厥神位以及当地韦姓自述是韦厥后裔的族谱来看，韦氏家族未必就是来自北方的汉人，当是当地壮族大姓因对汉文化的敬仰而衍生出来的故事。

此碑文是壮族首领用当时流行的汉文文体写成的，是广西较早用汉文记载少数民族文化生活事件的碑刻之一。碑文采用汉语古诗形式所写，且有叙述事实、描绘风物和抒发悦情的特点，全文骈散结合，对仗工整，用典贴切，显示出作者有很高的汉文化造诣，可谓广西最早的文人文学作品，说明在唐初时期中原的汉文化已经深入到壮族聚居区。

此碑里有古壮字，是目前所知使用古壮字的最早实物。碑文序言称："黎庶甚众，粮粒丰储，纵有十载无收，亦从人无菜色。"碑文当中有"颂"三则，其三称："庶男志壮，妙女更极。人皆礼仪，俱间秽色。苗桑滋眈，耕农尽力。斗争不起，咸统区域。”据此来看，当地百姓皆有礼仪，而且苗桑多有种植，百姓力耕，无争斗，地方安定，百姓安居乐业。

综合来看，《六合坚固大宅颂碑》见证了韦氏家族的智慧和勤劳以及他们对美好生活的追求和向往，也见证了上林县政治、经济和文化事业的发展以及韦氏家族在其中的重要作用和贡献。

白居易诗颂桂布白似雪

桂郁厥赋蕉、纻、落麻，厥贡金、银、孔翠、犀、象、彩、藤竹布。

——欧阳修、宋祁等《新唐书》卷四十三上《地理七上》

邕州左、右江峒蛮，有织白緂，白质方纹，广幅大缕，以中都之线罗，而佳丽厚重，诚南方之上服也……广西触处富有苎麻，触处善织布，柳布、象布，商人贸迁而闻于四方者也。

——周去非《岭外代答》卷六

唐开成年间，在一次早朝上，唐文宗的视线被左拾遗夏侯孜的衣着吸引。夏侯孜身着一件绿色的桂管布衣衫，显得与众不同。唐文宗好奇，便开口询问夏侯孜为何选择这种麻布衣料。夏侯孜恭敬地回答："陛下，此布厚实，可以抵御寒冷。"唐文宗听后，仔细打量起这件桂管布衣衫。他用手摩挲着布料，感受着其厚实与质感，思索良久。唐文宗对这件朴实的麻布衣衫产生了浓厚的兴趣，下令仿制桂管布，供朝廷使用。很快，满朝文武百官纷纷效仿，用桂管布制作衣服，成为一种新风尚。

桂布盛名，诗人叹之

唐代把今广西一带分为桂管、邕管、容管"三管"。三管之中，以桂管的范围最大，桂管辖桂、梧、贺、柳、富、昭、蒙、融等州。桂管的政治中心、经济中心、军事中心及文化中心都在桂州。并且，桂管还有一个重要的产品，那就是桂管布，又称桂布，堪称当地纺织品当中的经典佳品。

桂布，乃壮族勤劳妇女精心织就的麻纺织品。唐朝时，桂布名扬四海，为当时之佳品。白居易曾有《新制布裘》诗颂桂布之美：

桂布白似雪，吴绵软于云。
布重绵且厚，为裘有余温。

朝拥坐至暮，夜覆眠达晨。
谁知严冬月，支体暖如春。
中夕忽有念，抚裘起逡巡。
丈夫贵兼济，岂独善一身。
安得万里裘，盖裹周四垠。
稳暖皆如我，天下无寒人。

桂布之所以能在中原声名远播，是因为岭南地区盛产苎麻，加上壮族先民世代相传的手工麻纺织技艺。苎麻的纤维坚韧，加上壮族妇女的巧手，使得桂布质地优良，触感舒适，保暖性能好且耐用，故被世人珍视，名噪一时。此乃桂布之由来，亦是其盛名远播的原因。

桂布，以其独特的质地与工艺，在唐代众多纺织品中独树一帜。而桂布的核心原料便是苎麻。苎麻是多年生草本植物，特别适合在石灰岩山麓那些松软的土壤及河流两岸富含沙质的土壤中生长。岭南地区以得天独厚的自然条件，为苎麻提供了一个合适的生长环境。岭南的壮族先民们利用苎麻作为原料，精心织造出各种布料。桂布质地精细，手感光滑，洁白如雪，通透性好，又具有吸汗性。

桂衣朴实，权贵追捧

至唐代，广西出产的桂布已经声名远扬，其品质与工艺均受到广泛赞誉。不仅当地的居民对其赞不绝口，就连中原的士商、达官贵人也都对其情有独钟，纷纷穿上由桂布制成的衣物。唐代文人白居易就曾以桂布为材料制作了棉衣，并在《枕上作》中对其大加赞赏：

白居易画像

风疾侵凌临老头，血凝筋滞不调柔。
甘从此后支离卧，赖是从前烂漫游。
回思往事纷如梦，转觉余生杳若浮。
浩气自能充静室，惊飙何必荡虚舟。
腹空先进松花酒，膝冷重装桂布裘。
若问乐天忧病否，乐天知命了无忧。

其中“桂布裘”指的是用桂布制成的衣服，而“膝冷”则表明诗人感到寒冷，需要穿上这种保暖性能较好的衣物。在诗中，穿这种衣物被视为一种享受。

此外，诗人张籍也在其作品《白苎歌》中留下了对桂布的赞美之词：“皎皎白纻白且鲜，将作春衣称少年。”他在诗中，生动地描绘了壮族妇女精心编织的白纻布，其洁白如雪、质地精良，用其做成春衣穿在身上，令人仿佛重回少年时光，充满了青春活力。

桂布因其珍贵而备受推崇。与此同时，岭南地区出产的其他麻纺品，如都络布、筒布、苎布、竹布、斑布等，也因其独特魅力与桂布一同被列为向朝廷进贡的物品。

主要参考资料

[1] 魏征等撰《隋书》(全六册),中华书局,1973年。

[2] 刘昫等撰《旧唐书》(全十六册),中华书局,1975年。

[3] 欧阳修、宋祁等撰《新唐书》(全二十册),中华书局,1975年。

[4] 薛居正等撰《旧五代史》(全六册),中华书局,1976年。

[5] 欧阳修撰、徐无党注《新五代史》(全三册),中华书局,1974年。

[6] 李延寿撰《北史》(全十册),中华书局,1974年。

[7] 林富修、黄佐纂《(嘉靖)广西通志》,广西人民出版社影印本,2018年。

[8] 韩愈著,钱仲联、马茂元校点《韩愈全集》,上海古籍出版社,1997年。

[9] 陈鸿墀纂《全唐文纪事》(全三册),上海古籍出版社,1987年。

[10] 李肇撰、聂清风校注《唐国史补校注》,中华书局,2021年。

[11] 陶岳撰《五代史补》,载《隋唐五代正史订补文献汇

编》（全四册），国家图书馆出版社，2004年。

［12］董诰等编《全唐文》（全十二册），中华书局，1983年。

［13］韩愈著、马其昶校注、马茂元整理《韩昌黎文集校注（简体版）》（全三册），上海古籍出版社，2018年。

［14］汪森著、黄盛陆等校点、黄振中审定《粤西文载校点》，广西人民出版社，1990年。

［15］周去非著、杨武泉校注《岭外代答校注》，中华书局，1999年。

［16］李昉等编《太平广记》（全十册），中华书局，1961年。

［17］钟文典主编《桂林通史》，广西师范大学出版社，2008年。

［18］钟文典主编《广西通史》（全三卷），广西人民出版社，1999年。

［19］广西壮族自治区通志馆编《二十四史广西资料辑录（一）》，广西人民出版社，1989年。

后记

在中华文明的历史长河中，广西是一个不可忽略的南方坐标。

一方面，广西先民依山逐水，以身躯为笔，以血汗为墨，绘制出壮美的历史丹青。在各民族交往交流交融中，八桂渐变为文明之域。在此进程中，广西的天地之境、人物之英、事功之变，自是多有令人兴思回味之处。

另一方面，历史并非完成时态，而是一个开放的问题田野，用时代视角来解读旧日天地，是一个“其命维新”式的永恒命题。在这个层面，广西文明的意义触角一如山之落脉、水之旁流，延展、分叉、变化，最终融汇为可资推阐的“无尽藏”。

为了呼应时代的需求，彰显广西的历史底蕴和文化特色，在广西壮族自治区党委宣传部的组织策划下，广西人民出版社以弘扬中华优秀传统文化、铸牢中华民族共同体意识为导向，以20世纪80年代出版的《二十四史广西资料辑录》为基础，出版《正史里的广西》（五卷本），讲述中华文明发展中的广西故事。

为讲好正史里的广西故事，广西人民出版社邀请中国史学会副会长、北京大学历史学系原主任张帆教授担任编委会主任，广西民族大学历史系四位学者组成撰写团队，广西民族大学民族学与社会学学院王柏中教授、郝国强教授担任顾问。《正史里的广西》共分“先秦秦汉魏晋南北朝”“隋唐”“宋元”“明代”“清代”五卷。各卷依据不同时代正史的材料，拟定了类型多样的专题，其中既有对单一人物、事件的浓描，也有对历史发展脉络的梳理；既有对历史名人的重点书写，也有对整体自然环境、物质文化、社会生活的统览。

《正史里的广西》五卷本的基本内容如下：

第一册“先秦秦汉魏晋南北朝卷”，由韩周敬撰写。以《史记》《汉书》《后汉书》《三国志》《晋书》等史书为主要史料来源，围绕先秦至南北朝时期与广西有关的重要人物、事件，梳理了陈钦、陈元、孟尝、士燮、牟子、陆绩、绿珠、葛洪、颜延之等人的行迹，叙述了灵渠的开凿、秦朝岭南三郡的建置、汉武帝平定南越、海上丝绸之路的开辟、吴国的交广分治等重要史事。此外，本卷还对骆越先民的生活图景、句町方国的历史、广西的天文分野、独特而多元的饮食、与人类共生的动物、岭北对广西的文化想象等专题进行了论述，生动揭示了先秦至南北朝时期广西历史的丰富面貌。

第二册“隋唐卷”，由滕兰花撰写。以《隋书》《旧唐书》《新唐书》等史书为主要史料来源，参照文集等文献，并对重要撰述对象进行田野调查。隋唐时期，广西本地英杰辈出，如赵观文、曹邺等，也有不少南来的名人，如裴矩、令狐熙、柳宗元、李商隐、鉴真等，本卷对他们与广西的关系做了较为细致的探究。此外，对南选制度、潭蓬运河、相思埭运河、风物土产和民间艺术等也进行了饶有兴味的论述。

第三册“宋元卷”，由龙小峰撰写。以《宋史》《元史》为主要史料来源，辅以地方志、文集和碑刻等相关材料。选取宋元时期较为典型的相关历史人物或事件，如周渭、曹克明、范成大、周去非、苏轼、萧注、李师中、苏缄、岳霖、马塈、史格、黄圣许等，以他们在广西的事迹为主线，侧重从政治、军事、经济、文化等方面，展现宋元时期中央王朝对广西乃至南疆的经略，以及广西在中央王朝经略背景下日益融入国家治理体系的过程。

第四册“明代卷”，由邓平撰写。以《明史》为主要史料来源，参照《明实录》《明会典》及地方志、文集等相关文献，选取明代与广西有关的典型历史人物，如朱守谦、岑瑛、孝穆纪太后、蒋冕、王阳明、瓦氏夫人、徐霞客等，以他们的生平事迹为论述核心，着力呈现明代国家治理下的广西社会情况。此外，本卷对布政使司、土司制度、卫所、人口迁徙与民族交往交流交融等主题也做了简要梳理。

第五册“清代卷”，由邓平撰写。以《清史稿》为主要史料来源，参照《清实录》《大清会典》及中国第一历史档案馆馆藏档案、地方志、文集、碑刻等相关文献资料，选取清代与广西有关的典型历史人物，如石涛、于成龙、汪森、甘汝来、金鉷、陈宏谋、苏元春、岑春煊、康有为等，讲述他们在政治、经济、文化等各领域的贡献，以及他们对广西乃至中国历史进程的重要影响。此外，本卷对金田起义、镇南关大捷、近代新思想传入广西等重要历史事件也进行了梳理。

在写作风格上，五卷本《正史里的广西》力求图文并茂，达到学术性与通俗性的统一。在篇目布局上，按照时代先后顺序排列。各卷所参考的主要文献、著作，已罗列于正文之后。另有数量众多的参考论文，限于体例，难以对其来源一一详举，还请读者见谅。

最后，感谢广西人民出版社的信任，感谢审稿专家提出的宝贵意见。对作者团队来说，每个人物故事都是在进行古今对话，每次史料钩沉都是在重塑认知版图，每幅历史图景都是在生发家国共情，但受限于学力才识，书中难免有疏漏与不足之处，恳请读者不吝赐教。